承認をひらく

新・人権宣言

承認をひらく

新・人権宣言

暉峻淑子
Itsuko Teruoka

岩波書店

愛する家族に捧げる

目次

はじめに

「承認」という言葉は、日ごろ、あまりなじみのない言葉だと思われているようです。「承認って何か特別な意味があるの？」と聞かれることもあります。

けれども、承認という言葉は、なじみがないどころか、官民にかかわらず私たちの生活と社会を大きく左右している言葉なのです。

「承認は我々の時代のキーワードになっている」と言ったのは『承認をめぐる闘争』（増補版、山本啓・直江清隆訳、法政大学出版局、二〇一四年）の著者、アクセル・ホネットですが、日本でも、選択的夫婦別姓や、障碍者《しょうがいしゃ》差別、性差別、移民、難民などのマイノリティをめぐる承認問題がいくつも起こっています。すでにマイノリティとはいえないほど多くなった非正規雇用は、シングルマザーをはじめ、たとえ大学を出ても「望まぬ非正規」という職にしかつけなかった人たちを、不安定雇用と生活困難のどん底につき落としました。暮らしにあえぐ人たちは、一人前の人間として承認してほしいという、本源的な欲求不満を抱えながらも、生きていく意味を模索しています。非正規というだけで社会から一段下に見られる差別感に耐えられない人もいます。果たされなかった承認欲求と生活苦から、自死や犯罪に結びつく例さえあります。

少子社会の大きな原因もそこにあるのではないでしょうか。明日の生活計画が立たなければ、子どもを産むことに誰もが躊躇《ちゅうちょ》せざるを得ないでしょう。

それらのマイノリティをめぐる承認は、自分には関係ないと思う人もいるかもしれません。けれども、そういう人びとは、特殊ではない日常生活の中にこそ、承認をめぐる深刻な問題が横たわっていることに気がついていないだけではないでしょうか。

社会的人間としてしか生きられない宿命を持つ人間が、他人の、あるいは社会の承認を求める情念を持つのは当然であり、誰もそれを否定することはできません。人間は自分で自分を見ることができないので、他者という鏡に映して自分を見ます。その結果、自分の姿が他者から肯定的に評価されれば、自信が出てやる気も湧くでしょう。「鏡よ鏡！　誰が一番美しい？」ときくと、「あなたが一番美しい」と答えてくれる鏡に喜ぶ王妃のようなものです。他者から承認されることは、自分が客観的に認められていることの証明でもあり、社会に必要な人間としての普遍性に一歩近づくことにもなります。何よりも、自分が生きていることの意味を自覚させてくれます。

個人の人生だけでなく、もっと視野を広げて承認という鏡を通して社会を見ると、その歪みがはっきりと見えてきます。

自己責任が当たり前とされる社会になったとき、それに正比例するかのように「承認欲求の病」といわれる風潮が強くなったのは偶然ではないでしょう。

しかし、ことはそれほど簡単ではありません。鏡の方が歪んでいることも、多々あるからです。

後述するように、権力を持つ者が、承認すべきでないものを恣意的に承認したことで、ついには森友学園事件にみるように、まじめな一人の公務員が「上の者が承認しているから」と公文書の改竄《かいざん》・廃棄を強制され、その挙げ句自死に追いやられるという痛ましい事件まで起こりました（第一章、第五章参照）。

一国の首相という最高権力者が引き起こした、いわゆる「モリ・カケ・サクラ」事件、さらには安倍晋三首相（当時）お気に入りの東京高検検事長を検事総長に据えようとして、定年退職一週間前に、従来、決められていた定年年齢を延長しようと閣議決定したことなど、権力者が承認しさえすれば、どんなことでもできる社会になりつつあることを私は憂えています。

その反対に、当然承認すべきものを承認しなかった例もあります。真理の追究を業とする学術の世界を政治に従属させようとした例です。

二〇二〇年九月、当時の菅義偉《すがよしひで》首相は、日本学術会議が推薦した一〇五人の会員候補者リストの中から政府に批判的な六人の候補者を任命しませんでした。二〇〇四年に現行の任命制度となってから、学術会議が推薦した候補者を政府が任命しなかったのははじめてです。その理由を問いただしても根拠のある説明はなく、その理由や経緯を記録した文書の開示を請求しても不開示とされました。首相が気に入らなかったから不承認というのでは、王様の独裁政治ではないか、政治が学問の内容に介入して可否を決定すべきではない、などといった大きな批判が、学界、弁護士会、メディア、市民社会の間に広がりましたが、政府は、それらを無視し続け、次の岸田文雄政権になってからも「もう終わったこと」としています。

政治権力が行なう恣意的な承認／不承認に対して、責任を負うべき最高権力者が責任を負わず、責任を負うことができないバラバラの個人に自己責任を押し付けるという逆転現象が、当然のことのように横行しています。とすれば、その影響は国民生活全体に及ぶでしょう。

たとえば、第五章で取り上げる離婚後三〇〇日規定による無戸籍の子どもの発生もその一つですし、非科学的な根拠による生活保護費の減額や選択的夫婦別姓の不承認も、本来、民主主義の出発点になっているはずの個人の人権を大きく阻害しています。

孤立した個人生活のもろさは、〝板子《いたご》一枚下は地獄〟。自己責任社会を生きている人びとが精いっぱいの努力をしているにもかかわらず、国家の義務である個人の生存の保障をどこからも得られず、直近の例では新型コロナウイルス感染症(COVID‐19)によるパンデミック下に自殺した人の数が増えています。

横浜市立大学附属病院化学療法センターと、慶應義塾大学医学部精神・神経科学教室の共同研究グループは、厚生労働省の死亡統計データを解析した結果、二〇二〇年度の人口一〇万人当たりの自殺件数が、二〇〇九年度から一九年度までの実績に基づく予測値よりも、男性で一七％、女性で三一％

増加していることを確認しました。さらに自殺の増加は、同時期の失業率と連動しており、二〇代女性の自殺率は七二％増加しています。解析結果は、コロナ禍の影響で失業率が増加し、社会経済基盤の弱い若年女性を中心に自殺が増加していることを示しています（"Trends in Suicide in Japan Following the 2019 Coronavirus Pandemic," *JAMA Open Network*, 2022）。

また、旭川医科大学と北海道大学の共同研究は、厚生労働省自殺対策推進室による自殺統計の月別自殺者数データを解析し、パンデミック前（二〇一六年一月〜二〇二〇年三月）と、パンデミック発生後（二〇二〇年四月〜二〇二一年一二月）での自殺率の推移の変化を調べています。その結果、パンデミック発生後の自殺者の総数は、男性二万二三〇四人、女性一万一八三六人。そのうち過剰死亡数（パンデミックがなければ起こらなかった可能性のある死亡者数の推定値）は、男性一二〇八人、女性一八二五人、とくに過剰死亡数が多かったのは、男性二〇〜二九歳、女性三〇〜三九歳でした。

調査結果は次のように述べます。「〔新型コロナの〕パンデミックは日本の自殺率に大きな影響を与え、その影響は女性と若い年齢層で最も顕著であることを示している」、「パンデミック発生以降、困窮した人々に対して政府などから様々な支援が行われました。しかしながら、こうした支援が本当に追い詰められた人々にはきちんと届いていない可能性があることを、この研究の結果は示している」と（"Impact of the COVID-19 pandemic on suicide rates in Japan through December 2021: An interrupted time series analysis," *The Lancet Regional Health—Western Pacific*, 2022）。

特殊な例に限らず、一方的な承認の結果として、市民の公共財である生活環境が、国や自治体の一方的承認によってやすやすと変更され、地域住民の生活が破壊された例があります。突如として変更される建蔽率や用途地域は、市民がそれを知ったときはもう元に戻すことが不可能なのです。

二〇一七年、私の住む東京都練馬区大泉学園町で、地代がタダだからというので、関越自動車道の真下に、一キロメートルにわたり細長い高齢者施設などが建てられました。練馬区は「みどりの風吹くまちビジョン」を看板政策にしている区です。なぜ高齢者の施設を、昼なお暗く太陽の光もあたらず、緑もなく、緊急事態には脱出しにくい高架下につくるのか。頭上の高速道路では、しばしば車の火災事故も起きています。沿線住民は高架下を一キロメートルにわたって塞がれる生活環境の悪化に対して反対の署名や陳情をくり返しました。新聞も、建設手続き上の疑問を何度も記事にしました。

愕然としたのは、この建物が、国土交通省の高架道路下占用許可基準にも違反し、建築基準法上も本来は建てられない建築物だったことです。それが、地方自治体からの要請だからと、科学的根拠もなく、あっさりと上部機関(債務返済機構と国交大臣)に「承認」されてしまったのでした。民間であれ、地方自治体であれ、危険なものは危険です。住民は建築審査会に、違法な高架下建築に対する住民の不同意署名を提出して不許可にするよう、審査を求めました。他方、練馬区も、違法な建築に対する例外許可を求めて審査請求をしました。

結果は、練馬区に対する建築審査会の例外許可「承認」でした。その不合理に対して、当時の練馬区議会で、ある議員が次のような疑問を呈しています。「建築基準法に反する建築を、区が、建築審査会に例外許可とするように求めた場合、最終的に許可するのが特定行政庁である区長です。これまで例外許可が下りなかった例がありますか」。答えは「練馬区が事業者となった用途許可(例外許可)申請が不許可になった例はありません」でした。申請するのも練馬区、許可を出すのも練馬区長という仕組みでは、建築審査会の独立性ははじめからないのです。審査に携わる委員を任命するのも、区長です。なり行きを注目していたある市民は、ため息交じりに言いました。

「結局、茶番劇民主主義ね」

隣町の石神井《しゃくじい》では、都民の憩いの地として江戸時代から歴史的に残されてきた石神井公園の環境を守るべく、住民の意思で、建物の高さ、建蔽率、壁面後退、ごみの出し方などを申し合わせてきました。ところが二〇二〇年、石神井公園駅南地区計画が突然一方的に変更され、三五メートルの高さ制限が撤廃されて一〇〇メートルの上限になり、景観を台無しにする再開発まちづくりが現在もひき続き行なわれようとしています。一度壊された環境は、もう元には戻らないのに、生活環境を破壊する一方的な承認が行なわれることがまるで当然のように、とどまるところを知りません。住民たちは反対運動をつづけ、本件は訴訟に持ち込まれています。

さらに都心の一等地である風致地区、明治神宮外苑の再開発は、開発業者にとって未開発の最後の垂涎《すいぜん》の聖地だったといわれます。東京2020オリンピック・パラリンピック競技大会は、その聖地を開発業者が〝略取〟するための口実に過ぎなかったとも言われています。オリンピックとは再開発の裏舞台で行なわれた〝運動会〟に過ぎなかったとも。

作家の森まゆみは、「神宮外苑は「創建の趣旨」に立ち返れ」(『世界』二〇二二年一二月号)で、神宮外苑の再開発について、一般にはあまり知られなかったその歴史と背後関係を明るみに出してくれました。

二〇一九年に神宮外苑に新しく建て替えられた新国立競技場は、神宮外苑という風致地区にかけられていた一五メートルの高さ制限の規制を取り払い、八〇メートルにすることを可能にしました。それによって、神宮外苑に超高層建築のビルやホテルを建てることが可能になったのです。神宮球場や秩父宮ラグビー場も建て直されることになり、それに加えて高さ一八五メートル、一九〇メートルの商業施設やオフィスビルが建てられる計画で、当初は約一〇〇〇本の木が伐採される見込みでした。東京都がこの再開発計画の詳細を公表したのが二〇二一年一二月一四日で、縦覧期間はわずか二週間でした。それも渋谷区報に小さな告知があっただけです。二〇二二年二月九日、東京都都市計画審議会で神宮外苑地区再開発計画は「承認」されました。

神宮内苑・外苑は、明治天皇の死去に伴い、一六歳で京都から東京に遷都し、日本の近代化の時代に在位した天皇を記念する場としてつくられました。東京市長の阪谷芳郎《さかたによしろう》とその岳父渋沢栄一が、明治神宮奉賛会をつくって、明治神宮の建立に奔走しました。内苑は政府が、外苑は国民からの献金・献木・労働奉仕で整備されましたが、全国から青年が集まって、のべ一万一一二九人が勤労奉仕をし、一七万本の木が植えられたのです。そこを「公衆の優遊(ゆったりとあそぶ)」の場所にするという趣旨で、相撲場、水泳場、陸上競技場、野球場などがつくられました。その創建の趣旨から、草野球場、テニスコート、アイススケート場、ゴルフ練習場などが、都心でスポーツを低価格で楽しむ場として提供されてきた歴史があります。戦時中、学徒出陣壮行会が雨の中、神宮外苑競技場で行なわれ、一〇万人の学徒が出陣した場所でもあります。まさかその土地が開発業者の〝餌食〟になり、一〇〇〇本近い木が伐採され、高級テニスクラブや高級ホテルや高層ビルに占拠されるとは、私たちには想像もつかないことでした。反対運動が起こって、二二万筆以上の署名が東京都知事らに届けられ、さらに、文科大臣に要望書を提出したようです。ユネスコの諮問機関、国際NGOイコモスは、「文化遺産の不可逆的な破壊」として「ヘリテージアラート」を出しました(『朝日新聞』二〇二三年九月一五日)。

神宮外苑は都民の憩いのための風致地区であり、都心の空気を清浄化し、温暖化を緩和し、災害の避難所になるための場所であって、再開発や、利潤の追求をする場所ではないと、森まゆみは言い切っています(前掲「神宮外苑は「創建の趣旨」に立ち返れ」)。それらの重大なまちづくりの変容が、都市計画審議会や、東京都の一方的な承認で(形式的な説明会はありました)いともたやすく行なわれているのです。

私はかつてドイツに滞在していた折に「私たちは子どもや孫たちらの世代から、一時的に地球環境を預かっているだけだ」というポスターを、町なかのあちこちで見かけました。再開発して、利潤を得ることが至高の価値だとする人びとと、子どもや孫の世代を思いやって、より良い環境を守ろうとする人びとの価値観がせめぎ合っています。日本では、再開発という、一方的な価値観だけが公的に承認され、人間らしく生きるための資産の一つであり、文化の一つでもある、地球環境の保護は歯牙にもかけられていません。そして、それが当たり前だという病に侵されています。

　ほかにも、当然とされている一方的承認があります。学校を卒業して社会人になるべく、雇用されるために採用試験を受ける若者たちです。もし採用試験で承認されなければ、生活の糧を得ることも、自分の能力を発揮する場を得ることも、社会から一人前と認められることも困難になります。物やサービスという商品の売り買いと違って、「売れ残り」の人間は商品ではありません。倉庫に入れておくことも、廃棄処分にすることもできません。彼らは社会を維持していく成員の一人です。人びとは働くことを通して社会に参加している意識を持ち、失業は社会から不必要とされていると感じます。自営業が消滅していき、九割の人が雇用されなければ、働く場を持つことができない今日、人びとの「働き方の承認」をめぐる問題は社会の根本的な問題となっています。国家の責任でもある非正規／正規の労働問題については、第五章で取り上げます。


　この原稿を書いている最中の二〇二二年二月に、ロシアがウクライナに侵攻し戦争が起こりました。大国がひとたび起こしてしまった戦争は、止めることが不可能に近いことを思い知らされています。また、どんな戦争であっても、他の国がその影響を受けないことはないことも知らされました。核で威嚇する戦争を目の当たりにして、国民を戦争に引きずり込まない政府の存在がいかに尊いか、平和の価値を知らされる思いです。

　国家が戦争に突入すると、ただ一つの価値、勝利するためだけの特有な価値基準が社会の承認基準になります。またたく間に個人の生命や尊厳が奪われ、人権が無視され、一人ひとりの幸せが収奪されることが当たり前になる社会です。

昭和生まれの私たちが経験した十五年戦争は長かったので、「誤った社会の承認基準」を正しいと信じ込み永久に変わらないと思い込んだ人びとが、戦争の正義を喧伝し、敵国市民の虐殺を誇り、人権を踏みにじった結果が新聞でも戦果として大きく称賛されました。しかし、敗戦になって社会が変わると、戦争中の英雄は戦争犯罪者として裁かれました。その経験は、どんな個人も社会も、人権や公正、真実という人間の歴史が残した普遍的な価値を承認基準の中心に据えることを決して忘れてはいけないことを教えています。

戦後、『母の大罪』(河崎義祐、エイジ出版、一九八一年)という小説(実態はノンフィクション)が出版されたことがあります。母一人男児一人という家庭で、母は当時の忠君愛国の典型として世間に褒《ほ》めそやされる人間にわが子を育てようとします。母の願いが叶って息子は若くして青年将校となり、長崎の俘虜収容所の所長となりますが、敗戦後彼は俘虜虐待の罪で起訴され、処刑されます。その母は戦争時代の寵児となるように息子を育てたわが身の大罪を悔い、世間に褒めそやされる子どもを育てたいと願ったおろかな母親と、もっと普遍的な道徳を持っていた親とを較べ、わが子を戦犯として処刑台に送ったのは母親の自分だったという後悔を描き出した本です(詳細は第四章を参照)。

戦争中の承認基準がどの時代にも当てはまる普遍性を持っているわけではありません。同じように現在の社会で当然とされている承認基準が必ずしも正しいともいえないのです。

承認をキーワードに、国家・社会と個人の関係、個人と個人の関係を問い直してみると、承認という鏡に映るさまざまに歪んだ社会像が浮かび上がってきます。

公共的な場で相互性を持った議論が行なわれることなく、一方的に承認されていく日本社会の危うさは、岸田首相が独断的に決めた安倍元首相の「国葬」(二〇二二年)にもくっきりと現れていました。そのような承認が度重なっていくうちに、それが当たり前になり、違和感を持たなくなり、民主主義社会が知らず知らずに根腐れ状態になっていくのを怖れます。

承認とは、その語義のように、その事柄が真実であり、公正であり、妥当性があると認める行為です。一つひとつの承認を意識的に問い直していくことで、民主主義に新しい命が吹き込まれ、人権というキャパシティを広げ深めることになるのではないか、本書はその考えの上に立って書かれました。

＊

第一章では、私たちの身辺に起こっている、承認をめぐるさまざまな葛藤の具体例について述べていきます。承認を求める病もあれば、いったん承認された地位を失いたくないために、罪を犯したり、自死したりする例もあります。私的に見える承認の葛藤が、社会的な承認基準と深く絡み合っていることも見えてきます。

第二章では、社会的承認から排除された人びとが起こした事件について、新宿西口バス放火事件が浮き彫りにした「貧困」と、アキハバラ事件が示す「社会的排除」について、個人と個人の在り方、個人と社会の在り方を、再度たどり直してみました。もしも自分の家族が無差別殺傷事件の被害者になっていたらという思いと、社会から排除されて孤立し、思いつめた視野狭窄《きょうさく》の中で暴走した加害者の立場と、両極から考えてみたとき、それらの事件は、両岸から押し寄せてくる大波がぶつかり合う渦巻きのように、私の判断を揺さぶり続けました。その中で、こういう事件が再び起こらないようにするには、何が必要かという問題を考えざるを得ませんでした。

孤独のなかで無差別殺傷事件を起こした本人と、その事件を調査分析した専門家の双方が、「承認を求めて果たされなかった人間の絶望の中での暴走」と語っているその言葉に、私は心を惹かれました。〝承認を求めて果たされない〟という言葉がくり返される背景には、人権という言葉では包括しきれない、「承認」という言葉でしか表せない、人間の関係性があるのではないかと感じるからです。「拡大自殺的な他者への攻撃」という言葉にも社会から排除された人間の言葉にならない絶望を感じます。

第三章では、経済的な再分配だけでなく、社会参加という社会的承認がなければ、人びとの平等も福祉社会も民主主義社会の内実も個人の生き心地も、空洞化されることを、理論と現実の両方から考えてみました。その叩き台に、ナンシー・フレイザーとアクセル・ホネットの論争『再配分か承認か？』(加藤泰史監訳、法政大学出版局、二〇一二年)を取り上げています。本来、個人であると同時に社会人であり、自然人でもある人間は、本源的に多様な能力を持っています。にもかかわらず、企業の採算という立場だけから、正規と非正規という一度決まってしまえばそこから抜け出せない固定化された労働の区分けをし、社会全体が、ただ「目先の細分化された利益」という時代の要求に適合する能力だけを評価し、「承認する社会」になっているのではないか。そうなるといよいよ排除に結びつきやすい社会になるのではないでしょうか(メリトクラシー(能力主義)については、第四章で取り上げます)。

ＩＴの技術がやがて人間の仕事を奪っていくとき、さまざまな角度から、人間らしい労働とは何かを考えてみる必要があります。人間は、生まれながらに社会人であり、労働者となるまでの年月も、退職してからの年月も、働いた年月以上に長い時間を社会人として生きています。働いている間も、その前も後も、生きている間は社会に参加し、社会から承認されていることが当然であるとする生き物です。孤独な人を置き去りにしない、社会から排除しない社会のシステムが機能していることが人間社会を維持する前提になっているのです。

第四章では、習慣化し硬直化した社会の承認基準を、市民運動がどのようにして変えていったか、その結果、社会参加を果たしてきた身近な例のいくつかを取り上げました。上からの承認ではなく、相互承認をめざす市民運動の例として、障碍者の作業所や、フリースクール設立などの自発的な市民活動が、公的基準を変えていった実例です。

第五章では、暮らしの中で出会ういくつかの承認と生活とのかかわりを取り上げ、承認の在り方が、私たちの生活にどのような影響を与えているかを考えました。また、生活保護基準の切り下げという政治的「誤承認」に対して、社会的公正と、科学的立場から誤承認を修正する、全国的な生活保護訴訟が起こされたことについても触れました。

人間の本源的で必然の欲求＝承認欲求を、歪ませ、挫折させ、排除し、暴発させるような社会であってはならないと感じます。さらに人びとの承認欲求を逆手に取って悪用し、忖度《そんたく》や追従を出世の条件とする権力の濫用があってはならないと思います。行政に許されている裁量権が「濫用される」という言葉の裏には、法律の存在が意識されています。しかし、「モリ・カケ・サクラ」事件や日本学術会議新会員候補者の「不承認」には法律に対する意識そのものがすでにありません。承認／承認拒否は権力を持つ者が、勝手に行なっていいものだと思われているのです。

くり返しになりますが、承認という言葉は、許可や契約という個人的な言葉とは違って、その定義のように、正しく真実なもの、妥当なものとして認めるという価値判断を基軸にしている言葉です。人間は多様な存在であるけれども、多様であるからこそあらゆる機会を活かして、公正さや真実について話し合う相互性を持つ必要があるのではないかと思います。そしてまた、私たちは、個人間の相互承認によって自己のアイデンティティに目覚め、相互承認された社会参加の中で、連帯する経験を積み、社会を変革したり、自己実現を果たしたりしていくのだと思います。

第一章　人生をかけた承認欲求の葛藤

数年前から、社会と個人、個人と個人、権力を持つ者と持たない者の関係性を「承認」というキーワードで解こうとする試みが目につくようになりました。「承認欲求の病」や「承認を求めて果たせなかった末の犯罪」「権力者の一方的承認や承認拒否による独裁政治」「自己責任を強制された反動としての承認欲求」などという言葉に接すると、「承認」とは個人の生死を分けるような情念のひびきを持つ言葉だと感じます。その根源がどこにあるのか、承認とは何かを改めて考えてみました。

第一章では、それぞれの葛藤の実態を明らかにするために、まず、文献の中で語られている承認欲求の諸相を読み解き、そのあとに、私の体験を述べます。

1　痩せ願望と社会の承認基準

個人であると同時に社会人である人間は、他人から承認されることを求める生き物です。他者からの承認(褒められることとは少し違う)によって、自己肯定感は自信に変わり、やる気が出て社会的な成功を収めるきっかけにもなるといわれています。

けれども社会からの承認が気になりすぎて、自分が本当は何をしたいのか分からなくなったり、他者からの承認が重荷になり、期待に応えようとして無理を重ね、自由な生き方を抑圧されてうつ状態になる人や、自死する人もいます。承認されている人は幸福かといえば、他者からの承認を受け続けることに自縄自縛《じじょうじばく》の人生を送る人もいます。いったん受けた承認・名誉を失いたくないという執着から科学者の良心を失って、犯罪を引き起こした人もいます。

さらに、一度受けた承認・名誉を失いたくないという執着から無理に営業成績を上げようとして、粉飾決算や、犯罪を引き起こした人もいました。

承認関係にはいわゆる自他のヨコの関係もあるし、権力者との上下関係もあります。とくに権力者の行なう承認は、「はじめに」で述べたように、自分の地位を利用し、私益のために行なう恣意的な一方的行為である場合が少なくありません。権力者が口頭で行なう承認や、あるいは部下に忖度させる承認は、証拠を残さず目的を達することができるので、法に違反することであっても責任を問われずに遂行できる好手段だといわれます（安倍元首相の「モリ・カケ・サクラ」事件のように）。部下たちは権力者の意向を忖度することで出世しようとするため、害悪が社会全体にはびこる恐れもあります。

後に述べるように、承認の本質は「相互承認」にあるので、上下関係の中で相互承認がどれほど根づき、浸透しているかを見ることで、民主主義社会のレベルを測ることができます。相互承認は民主主義の尺度です。

市民相互のヨコの承認関係と、権力的上下のタテの承認関係は入り混じっているものもありますが、この章では、まずヨコの関係を取り上げ、権力関係については第五章でまとめることにします。

何年か経ってあとから客観的に見ることで、人びとは、戦争時代の社会的承認基準が大きく間違っていたことに気が付きました。現在も正しい承認が行なわれているとは限りません。

平和で経済好況のもとでも貧困に苦しむ人がいて、社会からの排除が平然と行なわれていることもその一つです。社会的に功成り名遂げることがなくても、家族や親密な友人関係の中で、信頼され、尊敬を受けて、愛され、生きがいのある人生を送る人もあるでしょう。そういう人にとって承認はそれほど気になることではないでしょう。

しかし、承認欲求を満たされず渇望する人にとっては、そのような視点での言葉は全く耳に入らないようです。

承認は普通、自分の意志ではコントロールできない、「やる気」の領域にまで影響を与える恐るべき威力をもたらす一方で、承認への執着が、破滅を引き起こすほどの魔力も持っているのです。

不幸にして社会から排除され、社会的承認を受けることがなかった人びとの悲劇については第二章、第三章に譲ることにして、この章では承認の功罪と現実の葛藤をみることにします。利潤を上げることにつながる成果主義の承認は、能力という、一見、公平な承認基準での評価だと思われがちですが、単一な価値基準によって多様性が失われることもあります。

その典型的一例を、ダイエット願望に見てみましょう。『ダイエット幻想』(ちくまプリマー新書、二〇一九年)の著者で、文化人類学者の磯野真穂は、痩せたいという女性の願望は、痩せれば、健康のために良いとか、生活費の節約になるとかといった合理的根拠があるわけではなく、ただただ痩せたいという願望であり、痩せた女を美的に評価する現代社会の承認基準に合わせることが目的になっているというのです。その非合理性は、昔の中国の纏足《てんそく》を想起させます。纏足の女性はうまく歩けないばかりでなく、足の変形のため、激痛やけがに苦しみましたが、それでも当時の男性に認められたい一心でした。纏足で変形した骨の形は今のハイヒールの形と同じです。

痩せたい女性は、認められるためには栄養失調になったり生理が止まったり、骨粗鬆症《こつそしょうしょう》になって健康を犠牲にしてでも、周りから褒められ承認されることを求めているのでしょう。

一方で、日本社会では個性の強い承認欲求を社会的圧力によって抑圧もするのです。個性的で自分の欲求を強く持つ女性は、往々にして疎まれます。美しさで目立つのはいいけれども、自己主張の強くない、保護される対象であるかわいい女が評価される傾向があります。評価を気にして生きる女性は、エンジンとブレーキを同時にかけることを要求され、結局は他人が認める範囲の中でのみ、承認される結果を受忍しなければなりません。

そしてその結果は、何が自分の欲求で何が幸せなのかさえ分からなくなる、と磯野は言います。選ばれる側は選ぶ側の思考や好みを常に最大限に忖度し、それに沿った容姿とふるまいをしなければならないからです。「愛されようとして懸命にもがいた結果、私たちは他者の声に漂流し、溺れてしまう」という磯野の言葉は、なんとももの悲しい響きを持っていることでしょう。痩せたい女性はこの指摘に何と答えるのでしょうか。

2　エリートたちはなぜ犯罪者に転落するのか

磯野の本を読んだあと、冷静に見ると、不合理な評価を気にして生きているのは女性に限りません。エリートと呼ばれる財務省の事務次官が、安倍元首相に気に入られようとして国会で議員や国民をばかにしたような答弁をくり返しているのを見聞きすると、気に入られる側に対して、気に入る側が持つ承認圧力のすごさは、私たちの想像を絶するものがあるのかもしれないと思ったりします。この点については、新田健一の著書がある程度の解明を行なっているので後で紹介しましょう。

承認欲求について、さらにもう一つの視点を取り上げているのは、菅原健介編『ひとの目に映る自己』(金子書房、二〇〇四年)です。

ここでは承認欲求が二つに分けられます。著書では、他者から褒められ、認められたいという社会的欲求を「賞賛獲得欲求」と名付け、人から嫌われたくない、無視されたくないという否定的評価を回避したいという欲求を「拒否回避欲求」と名付けています。積極的行動で日常の出来事を肯定的にとらえる「賞賛獲得欲求」のタイプと、他者から嫌われないことを優先価値として、家庭や職場で嫌われずに暮らすことをよしとする「拒否回避欲求」のタイプがある、という分類の仕方です。

菅原とそのグループの調査結果によれば、他人から否定的評価を受けたとき、「賞賛獲得欲求」型の人は、悔しい、と怒りの感情で反発し、否定的評価を許せない、否定的評価の原因は自分にはない、という受け止め方をします。それに対して、「拒否回避欲求」型の人は、恥ずかしい、きまりが悪いという恥の感情で受けとめ、否定的評価の原因は自分にある、と考える傾向が強い、という報告を行なっています。

では、賞賛獲得欲求の強い人ほど承認欲求が強く、「拒否回避欲求」型の人は承認欲求が強くないかと言えばそうではなく、菅原も加わっている調査「承認欲求と種々のデモグラフィック要因」（『東京未来大学研究紀要』七号、二〇一四年）によると、「拒否回避欲求」型の人は、欲求を拒否されることに敏感で、初めから承認されそうにないことは言わないという、むしろ承認欲求に敏感なタイプであることが分かります。

東京未来大学のこの調査は、首都圏に居住する二〇代から六〇代の男性九二七人、女性一〇二二人、計一九四九人を調査対象としているものです。この調査では承認の前提要因の多様性を考えて、調査者は「賞賛獲得欲求」型の人については「人と話すとき、できるだけ自分の存在をアピールしたい」「自分が注目されていないと、つい人の気を引きたくなる」「初対面の人にはまず自分の魅力を印象づけようとする」というような、いくつかの選択肢のある問いを投げかけ、その問いへの答えを通して、回答者の深層心理が抱える潜在意識を読み取ろうとしているようです。また「拒否回避欲求」型の人については「場違いなことをして笑われないよう、いつも気を配る」「意見を言うとき、みんなに反対されないかと気になる」「不愉快な表情をされると、あわてて相手の機嫌をとる方だ」という選択肢から同じように潜在意識を捉えようとしています。

詳細はこの論文を読んでいただくとして、やや乱暴にまとめると、男性は女性よりも賞賛獲得欲求が強く、とくに既婚者はその欲求が強い。また当然のことながら若者は高齢者よりも賞賛獲得欲求が強い、という結果が出されています。拒否回避欲求は女性の方が男性より強い傾向がありますが、しかし、このデータの中の職業別でみると、男性にも拒否回避欲求がとくに強い職業があります。それは正規労働者では公務員と会社員です。役所や会社の組織と個人の在り方について、考えさせられるものがあります。

菅原の著書および調査から読み取れることは、性による生まれながらの欲求の違いと思われていた固定観念には証拠があるわけでなく、職業の違い、地位の違い、既婚・未婚の違い、専業主婦であることによる違いなど、承認欲求に影響を与えているのは、社会的な要因が大きい、ということです。

稲葉陽二『企業不祥事はなぜ起きるのか』(中公新書、二〇一七年)と、新田健一『組織とエリートたちの犯罪』(朝日新聞社、二〇〇一年)が共通に、次のような警告を発していることに注目しましょう。

一定の生活レベルを持ち、地位もある人が、なぜ人間としての普通の判断力や道徳観を見失い、恣意的な承認を行なったり、要求したりするようになるのか。大企業や公的行政組織の中で恣意的な承認基準が恥じることもなく用いられると、それが社会的犯罪の引き金になることがある、と。

稲葉は、「日本監査役協会報告書」に準拠して、「企業不祥事とは、会社の役職員による、不正行為または法令もしくは定款に違反する重大な事実、その他公共の利害ないしは社会の規範に反する行為で、会社に対する社会の信頼を損なわせるような不名誉で好ましくない事象」と定義し、二〇一一年のオリンパス巨額損失隠蔽事件、二〇一三年のみずほ銀行暴力団融資事件、二〇一五年以降の東洋ゴム工業の免震ゴム性能偽装問題、三井不動産のマンション傾斜事件、東芝不正会計問題、三菱自動車工業の性能データ改竄事件など、数年間に起きた日本を代表する企業による世界市場での不祥事件の経緯を分析していきます。稲葉は、『企業不祥事事典』(齋藤憲監修、日外アソシエーツ、二〇〇七年)の、主だった企業不祥事一四七件を再分類した結果、組織レベルの規範逸脱が全体の五七%を占め、製品・サービスに関する対策不備は一二%であること、また規範逸脱の七三%が組織的なもので個人的なものは二七%に過ぎないことから、企業不祥事には、トップが何らかのかかわりを持っていたことは間違いないと推論します。

そして、個別の不祥事の原因を調査した結果、会社の不祥事に次のような共通点が見られると述べています。共通するのは、①いろいろな決定(最終的承認)が他の組織やグループと隔絶した、たこつぼ化(サイロ・エフェクト)した中で行なわれ、ワンマン的経営トップが長期に居座っている、②公正な判断をする人物よりも、法令の抜け穴をくぐり抜ける技術にたけた人材が重用される、③社長がインナーサークルをつくり企業の権力を少数のメンバーに集中させる、④たこつぼの中には上司と考えを同じくする上司好みの人物が要職に採用され、とり巻きをつくるため、長期に不祥事を隠蔽することが可能である、⑤議長と議事提案者が同類の人物であったり、会議では経営者に追随して、波風を立てず、おかしなことにも目をつぶる人物が採用される、⑥会社の歴史が長く、規模が大きい企業ほど組織上の欠陥が自覚されても改善しにくい、などです。

言い換えれば、会社の承認基準が歪んでおり、承認に至るプロセスが密室で行なわれ透明化されていない、という特徴が会社の不祥事に共通に潜在する、と分析しているのです。

それは一つの私企業の問題にとどまらず、社会的犯罪を引き起こしているのです。

たとえば、二〇一一年に発覚した光学機器・電子機器の世界的大手オリンパスによる、巨額損失隠蔽事件。一九八〇年代後半に社長直轄の財テクにより生じた膨大な損失を隠蔽し、海外のファンドに「飛ばし」という手法で損失を付け替え、簿外処理をしました。そして巨額な企業買収によるマイナス決算の中に、その損失を隠そうとしたのです。監査役会も形骸化して、その粉飾は社長、副社長、取締役などが知るだけでした。

三菱自動車工業も、一九七七年から約二三年間、当時三菱自動車が販売していた一〇車種以上、台数にして六九万台にかかわる重要な不具合情報を運輸省(現・国土交通省)に報告せず隠蔽していたことが、社員からの内部告発で二〇〇〇年に発覚しました。その結果、一一〇万台以上のリコールを実施しなければならなくなり、会社に大損害を与えました。その騒ぎの最中に、再びリコール隠しが行なわれたことがあったため、人命にかかわるような欠陥であってもそれを隠すことに会社が違和感さえ持っていない、という企業体質を明るみにさらけ出すことになりました。

さらに東芝でも、二〇一五年、七年間にわたる不正会計処理が行なわれていたことが内部告発で明らかになり、証券取引等監視委員会の検査で不正会計が発覚します。本来なら不正会計を監督すべき新日本監査法人（現・EY新日本監査法人）が、東芝と一体化して不正を黙認し、証券取引等監視委員会によって摘発されたということに、世間は驚愕します。

私も新聞を見るたびに、神戸製鋼の品質データ改竄や、スバル、日産、スズキが燃費・排ガスの検査で測定数値を改竄したなどの不祥事を目にするのが日常化していることに驚愕します。

稲葉は、資本主義市場経済を否定しているわけではなく、会社は付加価値を生む組織であり、資本主義の要である、社会の公器である会社が腐敗すれば資本主義の屋台骨が揺らぐ、と憂えています。

それに対して、犯罪学に詳しい新田健一は、社会的承認から排除された貧困や不遇な境遇の人が犯罪を起こすだけではなく、社会的には栄誉とされる承認を受け、社会に大きな影響力を持つ地位にある、いわゆるエリートたちによっても、疑獄や汚職、不祥事が引き起こされている事実が何に由来するのか、その原因を問題にしようとしています。そして、不祥事の害悪の大きさにもかかわらず、それらのエリートが塀の中に送り込まれることは稀で、「貧者は小悪を重ね、富者は大悪をなす」（アリストテレス）という故事のように、権力者、富者、有名人は、公共社会に大きな実害を与えても、せいぜいスキャンダルの主人公として処理されるだけになっていることに、世間の人が矛盾を感じなくなっていることの方が危ない、と言っています。それは社会的承認基準が病的に歪んで、道徳を失っていることの証左です。基準そのものが歪んでいる、という不合理です。「自己の組織上の地位、役割、社会的信用を利用して犯す違法行為」が許されている、という不公正なのです。

一般の犯罪者の多くが社会的落伍者から発生するのに対してホワイトカラー犯罪者においては、そのすべてが識者であって、それまでの長い期間、公共社会に適応してきた人であり、なかには社会的地位と名誉を得て世間でも尊敬を受けてきた人も含まれています。にもかかわらず、大きな逸脱に走り、犯罪者に転落するのはなぜか。ホワイトカラー犯罪者が社会に与える損害は、一般の犯罪者よりも格段に大きいし、複雑であるのに、「立派な人格と悪事」というパラドクスは、なぜ成立するのか。

典型的な官僚組織がエリート官僚に要求するパーソナリティーの特徴は、「服従性」「没人格」「規則への同調」「伝統主義」であり、極めて権威主義的であることがその特徴として挙げられています。さらに官僚の特徴として、「規範への同調性」「秩序を好む傾向」「競争を好む傾向」「明示された目標への志向」「着実な達成願望」「肥大した自尊感と自己承認欲求」のいずれもが高く、逆に「個人的行動の自由、独立願望」「自己決定願望」「多様な経験願望」はいずれも低い。となると、「立派な人格と悪事」というパラドクスを解くカギがここにありそうです。

新田の鋭い指摘を受けて、私の脳裡にはさまざまのことが浮かんでは消え、消えては浮かぶのでした。

3　承認願望と喪失の恐怖

競争原理が支配している現代社会においては、日常の欲求がかなりの程度満たされていても、競争に終わりはない。いつ追い落とされるか分からない、という不安があります。そのため、健全さを通り越した競争も永遠に続きます。競争原理が強力に支配している経済の世界では、より一層の利益を上げる、その功績によって組織内の上位ポストが得られ、そのポストは私生活の豊かさをも約束してくれます。

しかしあるとき、事業の不振や仕事のいきづまり等によって、身分や地位を失い、生活レベルが急落するなど、今まで手にしていた有形無形のものを失う不安に直面すると、つい、非合法の行為にも手を染めることになるようです。承認願望と喪失の恐怖は表裏の関係にあるのです。先に述べた企業の違法な活動が会社内部で隠蔽されるのも社員全員が喪失の恐怖から逃れたいからでしょう。公共の利益や人間性は今や頭から消えています。こうして特殊な企業倫理を身につけた人がエリートなのでしょうか。

さらに、実力がある上司と個人的な関係を取り結ぶためには、へつらい、ゴマすりを臆面もなく人前でも行ない、自己の成績評価だけが目的になり、評価が上がれば自己過信に陥るという特徴があるといわれます。「はじめに」や第五章で触れる「モリ・カケ・サクラ」事件に関して、国会で行なわれた証人喚問で佐川宣寿《のぶひさ》元理財局長の、これ以上に議員を侮った態度はとれないだろうと思われる答弁の仕方や、歴代の官房長官の記者会見での答弁がその典型です。市民とは全く異質の厚顔無恥な虚偽発言や公文書の改竄・廃棄の過程を見るにつけ、公務員として、自己変容を遂げることができず厚かましくなりきれず自死した赤木俊夫さんの遺書は、正しさとは何かを私たちに教えています。

エリートの犯罪の一例として私も即座に思い出し、新田も挙げているのが、輸入された血液製剤によるＨＩＶ感染訴訟（一九八〇年代はじめ、厚生省（現・厚生労働省）が承認した非加熱血液製剤にＨＩＶウィルスが混入していたことにより、これを投与された血友病患者約一四〇〇人がエイズに感染し、うち五七五人が死亡した事件）で起訴された安部英《あべたけし》帝京大学副学長の事例です。

安部は、五〇歳過ぎまで、東京大学で無給の副手として血友病の研究を続けていました。ところが念願の地位（帝京大学教授、副学長。「厚生省ＡＩＤＳの実態把握に関する研究班」班長）を手に入れると、権威と権益を手放すことができず、誤った自説に固執して多くの犠牲者を出した人として社会に紹介されています。

血友病理学の第一人者としての、自説に対する異常なまでのこだわり、配下の医師たちが次善の策として安全なクリオ製剤への転換を進言したのに対し、恫喝的言辞で反対したこと、自分の患者をいち早くエイズだと診断した功績を誇ったこと。大学副学長・学会のリーダーとしての権威主義、自信過剰、支配欲求、固執性などのために、医療の現場から危険な非加熱血液製剤を回収すべき時期が遅れ、エイズ患者を発生させた安部の責任は免れないといわれています。

念のため、ここで薬害エイズ事件について説明しておきましょう。

薬害エイズ事件とは、一九八〇年代、血液中の凝固因子が先天的に欠けている血友病患者の治療・予防に、アメリカから輸入された非加熱の濃縮血液製剤が使われていたことから起こった事件です。その非加熱血液製剤は、日本の血友病患者に使われていた血液製剤の九〇％を占めていました。ところが、この製剤は数千人から二万人分くらいのアメリカの売血を原料としていたため、その中にＨＩ

Vウイルスが混入していたのです。そのため、日本でもエイズに感染して発症した患者が現れ、約二〇〇〇人の罹患者と五〇〇〇人を超える死者を出しました。

一九八一年にアメリカから、血液製剤によるエイズ感染の情報を得た日本の厚生省は、エイズの実態の把握とそのとるべき対策の二点を研究班設置の目的として、八三年に「ＡＩＤＳの実態把握に関する研究班」を立ち上げます。その班長に就任したのが安部でした。この研究班の傘下には「血液製剤小委員会」も設置され、小委員会の委員長になったのは安部の弟子である帝京大学教授の風間睦美です。研究班も、小委員会も、厚生省内部でも、とるべき対策としては、危険な非加熱血液製剤を中止して以前に使用されていた国産のクリオ製剤に戻すか、非加熱血液製剤ではなく加熱血液製剤に変更すべきだという意見が、当然のこととして出され、それぞれ安部にその旨が伝えられましたが、安部はそれを一蹴して拒絶しました。

安部は、輸入されている非加熱血液製剤の中には肝炎だけでなくさまざまな病変を引き起こす恐るべきウイルスが混入していることを認識しており、「日本で売血によらない、より安全な血液製剤を製造して使うべき」だという考えを持っていたはずでした(一九八二年一一月「東友会総会」の講演、および安部英『エイズとは何か』ＮＨＫ出版、一九八六年)。エイズが男性同性愛者だけでなく、血液製剤を治療に用いている血友病患者にも起こることを記したアメリカの防疫センター報告についても言及している安部が、なぜ引き続き危険な非加熱血液製剤の使用を容認して、中止を求める人びとの意見に露骨で威圧的な反対をし続けたのか。

安部が、非加熱血液製剤容認の意思をはっきりと表明したのは、一九八三年に行なわれた「全国ヘモフィリア友の会」拡大理事会での講演においてです。ここで安部はエイズという病原体は非常に弱いもので、非加熱血液製剤を注射しても三〇〇〇人に一人が発病する程度のものだから、そんなに心配する必要はなく「エイズのためにアメリカからの輸入を止めるのは思い過ごし」だと言いました。

翌八四年にはエイズウイルスを発見したアメリカのロバート・ギャロ博士から、帝京大学附属病院の患者四八人中二三人がエイズウイルスに感染し免疫機能が低下している、という報告があり、同年には安部も帝京大学附属病院の患者の血液を新潟市の医師に送って抗体検査を依頼した結果、四一人中一七人が感染している事実が分かりました(安部はこの事実を秘するように部下の二教授に指示したことが、厚生省の松村明仁生物製剤課長の公判で陳述されています)。

先に述べたエイズ研究班や小委員会の医師たちは、裁判の公判や国会の参考人質疑の中で、当時、危険な非加熱血液製剤を、クリオ製剤や、加熱血液製剤に転換するには、エイズ研究の権威者であった安部の承認が必要だったことを述べています。安部の権威は、大きかったのでしょう。しかし、医師として、ある程度わかっていながら非加熱血液製剤を患者に使い続けたことを患者に謝罪した医師たちもいたにもかかわらず、安部が最後まで自説に固執し続けた理由は今も分かりません。背後の製薬業界との関係を指摘する人もいますし、この危険な非加熱血液製剤が、「ミドリ十字」で製剤されており、そこには厚生省から何人も天下っていたことも指摘されていますが、真実を知りたいと思うのは、遺族だけではないでしょう(詳しくは当時の新聞や、公判における証言、国会での参考人質疑などを丁寧にたどった中村玄二郎「薬害エイズ――医の倫理と医師安部英」(『神奈川歯科大学基礎科学論集教養課程紀要』第一六号、一九九八年)、NPO法人「ネットワーク　医療と人権」事務局長・太田裕治「安部英医師に対する無罪判決について考える」(『マーズニュースレター』第二号、二〇〇一年)、さらに一九九六年第一三六回通常国会「薬害エイズ問題に関する小委員会議事録」(両院厚生委員会最終報告)、安部自身の著である前掲『エイズとは何か』等があります)。

安部が、無給の職から帝京大学の副学長となり、エイズの実態に関する情報が集まる厚生省の研究班の班長になって、エイズ対策の実権を握ったという環境の激変は、承認を求める側が、突然、承認する側に変わったということです。そういう場合、異様なほど権威者が力を振りかざす例はほかにもあります。

しかし、この事件についてのさまざまな情報を知ったとき、私は次のことを問わずにはいられませんでした。

安部は、はたしてどんな承認を欲求してきたのだろうか。権威をほしいままにでき、有名になり金持ちになる地位を欲求してきたのだろうか。それとも学者としての名誉を承認してほしかったのだろうか。あるいは自分が助けようとしてきた血友病の患者に感謝される医師として承認されたかったのか――。もし最後の「苦しみから救ってくれた医師として」患者から感謝の承認をうけることを欲していたとすれば、危険な非加熱血液製剤を治療薬として使用し続けることに固執して、感染者を増やし、死者を増やす道を選ぶことはあり得なかったのではないか。承認欲求の呪縛は、どんな承認を求めたかにかかっている……と私は思わずにいられませんでした。

4　相互承認に出会うよろこび

他方で、地位や野望には関係なく、承認という人間としての本源的な意味を生活の中で問い続けて、真実の世界を日々生きている普通の人びともいるのです。

脳神経内科医の糸山泰人は、人間の脳は一四〇〇グラムの重さしかないのに、その中では一〇〇億個から一〇〇〇億個のニューロンが活発に働いている、なかでも人間関係をつかさどる言語系の部分が最も大きな働きをしており、その活動が脳全体の活性化と発達を促す、と述べています。人間関係の中で生きる宿命を負っている人間は、生まれたときから相互承認の中で生きているからこそ、言語を必要としています。それはすでに多くの専門領域で証明されており、人間の生き方そのものが承認を無視して生きることは難しいのです。

人間は他の動物と違って、合目的的な生産活動をして、それが技術や多様な発明を生み出し、生産力を高めて、豊かな社会をつくってきました。ですから、私は脳神経の最大の働きは、生産にかかわる発明や発見の分野にあるのではないかと考えていました。しかし、その生産活動も人間の間で行なわれるのですから、糸山説を読んでなるほどと思った記憶があります。

人間関係の中でこそ、子どもも大人も発達していくことについては、すでに多くの発達心理学や教育学や言語学の学者の実践研究があります。子どもだけでなくヒトは人間関係を失うと、急速に退化して廃人のようになることが、拘置所の面会禁止の事実からも知られています。また健康長寿の秘訣は、社会的活動を活発にして人びとと交流することだということが東海公衆衛生学会で発表された「静岡県高齢者コーホート調査」(二〇一二年七月)の結果で認められました(特定の集団を対象にした一定期間にわたる追跡調査を「コーホート調査」といいます)。長寿にはこれまでは食事と運動が大事だといわれていましたが、健康長寿の秘訣はむしろ社会とのつながりを持つことであるということが改めて示されたのです。人びとの中にいて、承認したり、されたりする人生こそが、人間らしい人生であり、生きがいのある人生だということになるのでしょうか。高齢者になって、だんだん人間関係が失われていくと、健忘症や認知症が進むという経験的事実もよく知られています。それほど人間の間の承認は大きな影響力を持っているのです。

一五年ほど前から私も参加している地域の「対話的研究会」で、子どもの承認欲求が問題になったことがありました。小学校で七夕の短冊にそれぞれの子どもが願い事を書いたとき、自分の娘が「クラスの人気者になりたい」と書いていたのを知って、子どもたちはそんなにも人びとに認められ、好意を持ってもらいたいと願っていたのかと切なくなりました、とある親は言いました。

また別のある親は、「承認されたいなら、自分の意見を言ってはダメ。黙っていて他人から承認されるのを待っていなければ。自分から意見を言うと、承認どころか逆に反発される」と自分の子どもが言っていたのを聞いて、子どもの世界でも目立つことは嫉妬や反発を招くと自覚されており、嫉妬がいじめの発端になることを恐れて、互いに気疲れするほど子どもたちが気を遣っているのを知って、やるせない気持ちになりました、と言いました。

その親は、空気を読み神経を使って生きなければならない日本社会の生きづらさが、子どもの世界にまで根を張っていることを目の前に突きつけられた感じがしたのだそうです。

同じ研究会において、障碍者施設の指導員として障碍者の世話をしている若いリーダーは、知的障碍を持つある青年について次のように話しました。

「その青年は言葉が不自由なので、気持ちが通じないといらいらして、暴力に訴えて殴ったり噛みついたりひっかいたりする。他人の部屋にずかずかと入っていって、他人が大事にしている持ち物を勝手にいじって壊したり、棚のものを乱暴に触ったり、人びとのだんらんの邪魔をしたりもする。それらの行為に対しては、当然、他人からの反発があって、彼の欲求不満は悪循環に陥っていた。

そこで、ケアする指導員の仲間たちと話し合って、彼を否定する言葉や行動を一切、やめることにした。他人を傷つけたり妨害したりしたときは、彼に謝罪させるのでなく、自分たちが被害者に謝って、加害者の彼をとがめたり叱ったりしないようにした。彼のすべての行動を受け入れ承認することにした。

そうするうちに彼はだんだん落ち着いてきて、職員のところに来て自分から話しかけるようになった。驚くことに彼は言語障碍のある知的障碍者だと思っていたのに、周りから無条件に承認される環境になったら、自分からいろいろな言葉を話すようになった。彼は本当はたくさんの言葉を知っていたのだ。ただそれが出てこなかっただけなのだ」と。

彼は続けてこうも言いました。

「障碍者の施設で若い男性が働いていると、低賃金で報われない仕事なのになぜ？と聞かれることがあります。もっと陽の当たる場所で働いたら、とも。障碍者の中には、本当に理解できないような行動をとる人もいて、どう対応したらいいか、悩むことも多いです。だけど障碍を持つ人の人間の尊厳を認め、人格を持つ一人の人間として承認することに徹する努力をしていると、いつかあるとき、ふっとお互いの気持ちが通い合う瞬間があります。それを経験すると、なぜか障碍を持つ人も変わるのです。これまで食事のときに、炊飯器のそばに座り他人に取られないように、何杯もがつがつとご飯を食べていた人の態度が変わり、落ち着いて自分に配膳された食事をするようになります。そういう変化に出会うとき、世話をする立場の職員としての幸せというか醍醐《だいご》味《み》を味わいます。

障碍者施設に来るまでの自分は他人とうまくいかないと、心の中でそれを相手のせいにしていました。だけど障碍者と付き合っていると、障碍者のせいにすることはできないので、自然に自分のどこが悪かったか、もっとどうしたらよかったのかと、自分を振り返るようになります。障碍者は自分を映す鏡の役割をするのです。もし、障碍者から認められたら、それこそ本物の人間としての承認を得たのだと、喜びを感じます。津久井やまゆり園の出来事を知ったとき、障碍者の中で知るこんな喜びを、実行犯に話して聞かせてくれる先輩が施設の中にいたら、彼は、あんなことをしなかったのではないかと感じます」

続いて、ある自閉症の子どもの母親は、次のように言いました。

「子どもが荒れると、父親である夫は、子どもがそうなるのは母親の育て方が悪いのだと母親の私を責めて、自分自身は子どもと向き合おうとしませんでした。母親の私はあちこちの小児科や精神科を回って、子どもが自閉症であることを知らされました。子どもは自分の思うようにならないと周りの大人にも暴力をふるい、モノを投げつけたり壊したりするので、親はどう対応していいか分からず、絶望したときもありました。一度だけ興奮して暴れたときに警察を呼び、病院にあずかってもらったこともあります。

ある時から子どもが荒れたときに、自閉症という彼の存在をありのままに承認し、彼が持っている感情を理解しようとして、「あなたの今の気持ちは、こういう言葉で表せば当たっているの？」と聞くことにしました。それが重なっていくにつれて彼の荒れは収まっていきました。今はまだ、かんしゃくを起こして、モノを投げたりはするけれど、周りの人間に対して暴力をふるうことは全くありません。子どもを、一般の社会から隔離するのでなく、なるべく一緒に親子劇場の劇を観に行ったり、散歩したり、音楽を聴いたり、買い物に行ったりするようにしています。あるとき、劇場で何か気に入らないことがあったらしく、暴れだし、劇場の空気をめちゃくちゃにしたことがありました。急いで子どもを外に連れ出して、受付の人に謝っていたとき、劇場の人がそばに来て「私たちはちゃんと理解していますよ。またお子さんと一緒に来てくださいね」と言ったのです。こんな親子でも、ありのままを世の中から承認されていることの有難さを知って泣きました。

今、子どもは、だんだん落ち着いて、学校にも適応し、物理の実験が大好きで、将来は、宇宙工学の研究者になりたいと言っています。夫とは週に一日は一緒に長い散歩をして話し合うことにしています。父親も今は現実と向き合って、子どもの人格を受け止め承認するようになっています」

承認をめぐる珠玉のような話の数々だと思って、私はじっと聞き入っていました。

自分は承認されている、と思うことが、人間にとってどんなに大きなことか、日常の暮らしの中から出てくる人びとの話に、つくづく考えさせられました。また、逆に承認されないことの辛さについても再認識させられました。

ある高校の先生が、口先で褒めることと、人格そのものの承認とは次元が違うことを、私に話してくれたことがあります（詳しくは、拙書『対話する社会へ』岩波新書、二〇一七年）。

先生が最初に赴任したのはいわゆる問題校で、中途退学、不登校、暴力、教師への不信、校外からの苦情など、荒れた高校でした。

どう対応したらいいか、先生自身にできそうなことは何もありませんでした。そこで全く自然にできることとして、一日二人と決めて、毎日、放課後に一人ずつ生徒と話し合うことにしました。クラスの生徒全員を一巡すると、またはじめに戻って、毎日、生徒と話し合います。そのとき、何か下心があって、褒めてある方向に生徒を持っていこうということは考えませんでした。ただ自然に「何かあったの？」と切り出して、話の聞き役に徹しました。決して先回りをせず、〇〇のためにとか、意図的にある結果に持っていこうとしないように、自分を戒めていました。教師と生徒という上下関係で話し合うのではなく、あくまでも自分と同じ一人の人間として、生徒の人格に対する尊敬を失わないように心掛けました。友人のような立場で、教師の方から心をひらいて、話し合いました。生徒は敏感で、一人の人間として人格的に承認されていると分かると、態度が自然に変わるのです。周りの大人が、生徒を大切に思い、敬意をもって接していることが分かると、生徒自身も、自分を大切に思うようになります。自分を大切に思うようになると、何も言わなくても、荒れる行為が少なくなり、キレることが少なくなります。自分を大切に思う気持ちは、自然に勉強しようという気持ちを引き出すようです。勉強に取り組むようになると、中途退学も不登校も、自然に減っていきます。

子どもは大人から見守られ、信頼され、ありのままを承認されていると感じると、自己肯定感を持ち、将来への希望を持つようになります。どの子も自分の能力を発揮して、認められたい、という潜在的な承認欲求を持っているのです。表面では諦めているように思える子どもでも、内心は、自分のアイデンティティを発揮できる場と承認され合う生きがいを求めているのです。

格差社会が進行し、親の貧困化が進むと、生徒は学費を納めるために放課後にアルバイトをして、それで疲れていても、夜、勉強して何とか卒業しようとします。その姿を見て教師の方が恥ずかしくなり、生徒への尊敬を強めます。そういう相互関係が自然に成立すると、学校は、荒れた雰囲気に代わって、学校らしい小さな理想を持つ雰囲気になっていきます。承認とは、まさに相互承認なのです、と。

　私はこの話を聞いたとき、褒めるということと、人格を持った一人の個性を承認するということは次元が違うことを悟りました。私の経験の中でも、なんとなく感じていた「褒めること」への違和感がはっきりしたのです。

5　叱られたくない、褒められたい一心で……

　家庭や学校やスポーツ界や会社の中で、しばしば褒めて育てることの効果が語られます。確かに叱って罰するという方法よりも、褒めて育てた方がよさそうです。しかし、体罰は最悪の教育だといわれながら、今なお日本の社会から体罰がなくならないのは、人権を持つ人間の尊厳という民主主義の大前提が、まだ本当に社会に根づいていないことの証左です。子どものしつけという、名目だけの正当性の裏側で、家庭や学校で子どもへの体罰や虐待がやまないのも、暴力で子どもをしつけるのはいいことだという潜在意識があるからです。とくに、スポーツの分野では勝つことが最優先価値で、勝ちさえすればコーチや監督が暴力をふるっても、それを黙認し承認する、という現実がまだ根強く残っているようです。体罰と褒めるということが、どこか根っこのところがつながっているのではないかと思うことがあります。体罰が今でさえ許されているのは、多くの日本人にとって勝ち負けだけが大事で、勝つためなら何をやってもいいという戦争容認国家の意識が根強く残っているからではないでしょうか。

暴力的指導やしつけは本人のためだなどと暴力行為を正当化する人がいますが、当の本人の立場に立てば、彼らの人生に決していい影響を与えていません。暴力は自尊心(人間の尊厳)への屈辱です。体罰を受けた人は自分の子どもや生徒にも、また同じことをくり返す傾向が強い、といわれています。暴力以外に子どもや生徒に対するもっといい方法があることを知らない人にとっては、暴力による教育は、短絡的には効果が上がるように見えます。しかし、人間の人格としての成長には逆行します。

私は自分のピアノの先生から、「生徒は教えると「はい」と言う。「はい」と言うから分かったのかと思うと、また同じ間違いをくり返す。では、なぜ「はい」と言うのか」と不思議そうに聞かれたことがあります。私が「一応ここで難を逃れたいという「はい」です」と言ったら「はじめて悟った」と言って大笑いしました。暴力による指導は、この「はい」が恐怖心による「はい」になっているだけです。

結局、どんな人生も究極的には人間の自発的な判断力や価値観、人格の持つ豊かな可能性や、意思の力がなければ、志を達成することはできません。社会人として他者に理解され、尊敬されることもありません。社会貢献もできないでしょう。

ですから、褒めて育てる教育は、本人の自尊感情を傷つけることなくやる気を出させる、ベターな教育だということも事実ですし、確かに体罰という人格の侮辱と否定に比べれば、子どもに与える心の傷は小さいのかもしれません。

しかし褒めるという行為には、馬の鼻先にニンジンをぶら下げるような、ある作為的な策略を感じさせることもあります。本当に本人の人格や能力への尊敬があれば、外側からの作為的な褒め方は不必要なのではないでしょうか。敏感な人は、おだてられて喜ぶような人間だと自分が思われていることに、不快感を抱きます。操られているという不信感を持つからでしょう。

ある学生から、「先生、褒められて喜ぶ私たちだと思っているのですか。幼稚園児ではあるまいし。無理しないでくださいよ」と言われたことがあります。子ども時代に先生が子どもをおだてにのせて、競争をさせたり操作しようとしていることに反感をもった、という学生も少なくありません。勉強させるためには、おだてるよりも、なぜ、そのことを勉強するのか、その理由が分かれば、そして、物事を自分で考え、自分で究めていく魅力が分かれば、自分の力で解決できた喜びを経験すれば、子どもは褒めたりおだてたり、順番付けをして競争させなくても、自分から勉強するものです。罰でしつけられなくても、していいことと、してはいけないことは、静かな環境の中で自分の体験を思い出して話し合ってみれば分かることです。人間には、生まれながらに後悔する気持ちや罪悪感というものがあって、他人の不幸にもらい泣きする感受性もあります。自分で心からそう思い、その理由に納得していれば、そして自分の力で解決したさわやかさを経験できれば、それは一生の財産になります。ああしろこうしろと命令され、褒められたり叱られたりすることを判断の基準にしてしまうと、大人になっても自分で判断する力が育っていませんから、真の意味で自立した人間にはなれません。外側の基準に合わせるだけの人間になります。批判されることが嫌いで、おだてられ褒められて喜ぶような安倍元首相を見ていたとき、国の将来が心配でした。

褒められて有頂天になるような人は、他人が見ていないところでは、あるいは悪事がバレないと分かれば、平気でルール違反をする人間になるのではないかと思います。公文書の改竄・廃棄も、会社の中のコンプライアンス違反も、検査結果のデータの改竄も、良心といわれるような自分自身の内的価値基準がないところから起こるのではないでしょうか。

褒められて、自分に自信を持つことができて成長していくのは、好ましいことではありますが、上の人が下の人を褒めるという行為には、一種のうさんくささがあり、人間の尊厳という立場から見れば、叱責を恐れて努力する行為と、褒められるのがうれしくて努力する行為とは、紙一重の差ではないかとさえ、私には思われるのです。

褒められれば確かに子どもは喜びますし、褒められようとして、やる気を起こすことも事実です。私にも、二人の子どもを通じて二つの異なった経験をしたことがあります。そのどちらがよかったか、必ずしも褒めればいいとも思えない気がしています。私の二人の子どものうち、長男は、子どもたちの目の前でよくできた子を褒める幼稚園に通っていました。幼稚園そのものが周りからの評判をとても気にする幼稚園でした。次男は、大学の心理学の先生がかかわっている幼稚園で、褒めることも、とくに叱ることもなかったため、私は長男の幼稚園と比べて、何かもの足りないような気がしたものです。しかし、長い目で見ると、褒める幼稚園は、褒められることが良いことだという観念に取りつかれて、親も子も自然さにどこか無理があったし、子どもが大人の道具になっていて、それでいいのかと楽しくないところがありました。物足りないと思った方の幼稚園は、一人ひとりを出来る／出来ないで比較しませんでしたし、先生も、ある子が出来たからといってまつり上げたり、出来なかったからといって不満な顔を見せたりしませんでした。だからといって決して一人ひとりの子どもに無関心ではなかったのです。ありのままを認められ、好奇心いっぱいの子ども特有の自由な雰囲気がありました。卒園後の子どものふとした思い出話を聞くと、ことさらに褒めたりしなかった幼稚園の方が子どもにとっては楽しくのびのびと、劣等感をいだいたりせず過ごせたようです。その後の小・中・高校時代と比べて、人生の中で一番楽しかった時代、と言って幼稚園のことを懐かしんでいました。

誰かが、斬新な発想や、優れた洞察力や、粘り強い意志の力で問題を解決したとき、その人の人格や才能や社会貢献にたいして、私たちは尊敬の念をいだくでしょう。しかし、その尊敬の念は相手に面と向かって褒めるという行為とは直接に結び付かないのではないか。見透かされるような褒め言葉を言うこととはズレがあるのではないかと思います。本人も周りからの純粋な尊敬と信頼を無言のうちに受け止めて、それで十分なのではないでしょうか。いいえ、それさえも求めず、自分の行為そのものに満ち足りている人も少なくありません。

一人の人格として「承認」され、尊敬されている場合と、金儲けや、何かの手段として効果があるから褒められている場合とは、根源的な出所が違うのではないかと思います。もし金儲けの手段として認められるのであれば、逆に金儲けの役に立たないと見れば、立派な仕事をしていても認められなくなり、降格の処遇をされたり、左遷させられたりすることにもなりかねません。ある目的のための手段として褒めるのと、人格に対する尊敬とは、やはり違うのです。

私の友人であるIさんは、社会的にも活躍する才色兼備の女性です。一流企業に就職し、自分の才能を発揮できる仕事を持ち、承認欲求も満たされた悩みなき女性だと傍《はた》からは見えるのですが、あるとき、子ども時代のことを話してくれたことがありました。

彼女の母親は、〝勉強することこそ美徳〟という価値観を持っていたので「成績のいい子に育てたい」という強い教育観がありました。彼女にとっては「勉強しない子は悪」だったのです。

子どもたちは親に、自分の話を聞いてほしい、自分に向いてもらいたいと必死です。母の喜びそうな話題を選び、きょうだいの中でも、とくに親の気持ちを自分に向けようと、結局話すのは学校で褒められたことや、テストの結果のことになりました。

学校の成績が良ければ、父も母も喜ぶ、弟や妹よりも褒められる。親の喜ぶ顔を見たくて勉強をするようになったのかもしれない、と彼女は述懐します。他のきょうだいは親に認められることよりも、自分の好きなことをやるようになったので、彼女はますます勉強をする、成績が上がる……をくり返し、もっといい子で、優等生でいなくちゃいけない。叱られたり、期待を裏切ってがっかりさせるようなことはしたくない、といい子を演じているうちに演じた自分を崩せなくなり、本当にやりたいことを、いつしかできなくなってしまったそうです。

たとえば就職活動です。昔から飛行機が大好きで、仕事で世界中に行けるスチュワーデス(現・キャビン・アテンダント)に憧れていたのですが、それを口に出したら真面目な母はきっと「そんなチャラチャラした仕事に就きたいだなんて」とがっかりするに違いない、そう考えただけで、航空会社を受けたいと言葉にすることもできず、受験もせずに終わってしまいました。後年、親に内緒にしてでも、受けるだけ受けてみてもよかったんじゃないかなぁと、ちょっぴりほろ苦く振り返ることがある、と言っていました。

母から褒められたい。母から叱られるなんて恥ずかしいこと……という、子どものころからの思いは、大人になっても根強く残り会社に就職した後も、「いい子でいなくちゃいけない」という概念からどうしても抜け出せず、上司、先輩の顔色をつい窺ってしまい、意見が合わないときも、闘うことができず、自分の意見をぐっと呑みこんでしまう。

上司から見て、(自分の考える)いい子でいようとすると、不本意な仕事もたくさんすることになる。職業的良心を削ってみたり、気持ちの悪い違和感をやり過ごし見て見ぬふりをしてみたり、会社を休みたくても、イライラ不機嫌な上司に文句を言われるくらいならと、我慢して出社したり、自由に見える職場にいながら、とても窮屈な毎日を送っていたが、それは自分の意志だったのに、何が怖かったのか――。

自由になりたい。そのためには裁量が持てるぐらい偉くならないといけない。そのためには今はじっと我慢して、上司に気に入られるようにしないといけない――今の忖度まみれの日本の政治家たちの気持ちは、自分を見ているようで、情けないけれどよく分かるのだそうです。きっとこの人たちも、親から褒められ続けた人生を歩み、叱られたくない、汚点をつけたくない一心で、ここまで来たエリートなのだろうと。

「でも、本当に出世したら、総理大臣になったら、完全な自由が手にはいるでしょうか。すべての人が承認せざるを得ない圧倒的な力を持てるのでしょうか。それは究極の幸せになるのでしょうか。そもそも評価する人自身が、左遷や異動で変わってしまうことも多々あるわけで、そんな普遍でないもののために、なぜこんなに自分を枠の中に閉じ込めてしまったんだろう」と、才色兼備の友人が言うのを聞くと、反抗期に親の価値観から逃れた私は「それでもやっぱり、褒められたいという思いはどこかに残っているかも」と思ったりしました。

Iさんが到達した地点に、ちょっと違った経験の小道を通って、似たような結果を味わっている小学生と先生がいます。その話を聞いたのは、あるお母さんからですが、その先生の本を私も読んでみました(「小学生の学びに見えた承認欲求との付き合い方」東洋経済オンライン、二〇一九年一〇月二一日。沼田晶弘『one and only　自分史上最高になる』東洋館出版社、二〇一九年)。

東京学芸大学附属世田谷小学校の教諭、沼田晶弘先生は、子どもの学習意欲を高めるために、いろいろな創意工夫をして授業をしている先生です。

学芸大学や東京教育大学(現・筑波大学)などの附属校の存在理由の一つは、研究的な授業・教育を行ない、子どもたちのためにより良い教育法を開拓することになっています。ですから公開の研究授業も行なわれるし、研究発表も行なわれます。

私が師範学校附属の小学生だったときも、大勢の見学者の前で、先生が研究授業を公開しました。その授業を成功させて先生の喜ぶ顔を見たい、先生に恥をかかせてはいけない、という子どもも心で緊張しながら、当日は精いっぱいの演技をしていたことを思い出します。

沼田先生は、低学年でマスターすることになっている算数の九九の掛け算を、「八一マス計算」表をつくり「よーいドン」のかけ声でF1の音楽にのせていっせいにやってみる試みをしました。1から9までの数字をタテ・ヨコ一列目に順番に並べた表を作り、制限時間は二分。すべて正解で解き終わるまでに二分を切った子には「U2(Under 2 minutes)」という称号が与えられ、胸につけるバッジももらえて、翌年の年賀状にU2の資格保持者だと書いていいことになっています。このやり方で子どもたちのテンションがめちゃくちゃに上がった、と沼田先生は言います。

機械的に暗記をさせられる九九の掛け算は、人生不可避の授業の一コマで、ほとんどの日本人が持っている共通経験の一つではないでしょうか。一人ひとりの子どもが先生の前で九九を暗記させられた思い出は、のちに長い人生の中で九九の便利さを経験するにつけ、あの経験は無駄ではなかったと思い出すのですが、子ども時代のそのテストは、どちらかといえば楽しいものではありませんでした。ですから、それをゲーム感覚で身につけるのは面白いことかもしれません。

でも一方で、熟考型の子で、早く早くと周りから急き立てられることが嫌いな子はどうしたんだろう、と私は心配にもなりました。

他人よりも早くできて「U2」のバッジをもらった子やその親は鼻高々で、喜んだかもしれません。しかし、ゆっくりした性格や慎重な性格は天与のもので、外側から強制して変えることができないものの一つです。また変えられない個性というものがあるからこそ、人類は多様性を保持し、その多様性ゆえにこれまでになかった事態にも対応することができ、思いがけない発見もして、生き延びてきたのではないでしょうか。

今は心理学や脳科学者が個人の「性格」という独自性を尊重し公認するのが普通になっています。しかし、明治以来、先進国に追いつけ追い越せの世界観で、国家が教育の目的を一方的に決め、画一的教育を押し付けてきた歴史から見ると、文科省や学校の先生にとって、子どもの個性というもの——行動がのろく、呑み込みが遅い子や、外的強制に反発する子や、おだてても叱っても効果がない子どもの性格——は、ある意味、厄介な問題児ものだったでしょう。そういうときに、先生が指図しなくても、子どもたちがお互いに競争心や名誉欲に浮かされて、積極的に九九の暗記を競ってくれることは、先生にとっても好都合で有難いことではなかったかと想像します。

ところが、子どもは正直ですから、クラス全員がだいたい「U2」を獲得し珍しいことでなくなってしまうと、子どもの満足度は激減し、積極的にやろうとするテンションもなくなってしまいます。二分以内に正解ができて、「U2」とクラスのみんなから呼んでもらえるという承認がその子にとってはものすごく大切な報酬になっていたからです。たとえば「U2」のご褒美として、親から、つねづね欲しがっていた何らかのプレゼントをもらったかもしれないし、ご馳走してもらうというような満足感を味わうこともあったでしょう。

沼田先生は、子どもの承認欲求のことを「みてみて欲」という言葉で言い換えています。「お母さん、みてみて！」とか友人や先生に「ほら！　みてみて」という言葉は、子どもの弾む心理をよく表していて、子どもの絵本でもよく見かける言葉です。自分の心の中に納まりきれない感動を「みてみて！」と周りに呼びかけて注意を引き付け、自分の感情に一体感を持ってもらいたい、という子どもらしい感情の発露です。

子どもたちが一生懸命に、普通なら面白くもない九九に取り組んだのは、一つには友人との競争に勝って他人よりも優れていると認められたい承認欲求があったからであり、もう一つには難しい九九を覚えきった、という達成感があったからではないでしょうか。

競争に勝って、他人より早くできたとか、一番にできたという満足感は、とくに日本の子どもに目立つ感情だといわれます。ある心理テストで、外国の子どもは、問題を解いている最中に、ほかの子どもが同じように問題を解いている姿を見ても、それによってテンションを左右されることがあまりありません。ところが、日本の子どもは、ほかの子どもの行動に気が付くと、それに刺激されて、集中力をがぜん高める傾向がある、つまり、他者に左右される感情が強い、というコメントが実験結果として書かれていました。

それを読んで気が付いたのは、他人と比較して自分の行動を変える子どもの心情は、実は親や学校教育に由来しているところが多いのではないかということでした。子どもが問題をなかなか解けずにてこずっていると、どこで思考の回路が行き詰まったのか、それをどういうふうに解決したのか、そのヒントは何だったのかということへの興味よりも、親や教師の関心は、ほかの子どもと比べて、どうだったかに偏執しがちです。早く完璧にできた子どももいるのに、うちの子はなぜできないの？逆にうちの子は早くできてよかった、などと外側からの評価に左右される傾向があります。運動会のかけっこで、子どもが楽しんでいるのに、ビリではなく一番になってほしいのが多くの親のホンネではないでしょうか。教師もまた、手がかかる子どもを厄介に思い、いつもほかの子どもと比べて、子どもの能力の順位付けをしたがります。

子ども自身の楽しさや成長を喜ぶよりは、外側からの評価を気にする態度は、多くの日本人の持つ特徴のひとつでしょう。あとで述べるように、承認欲求が競争と結びつき、競争の勝者になれば地位も給料も上がるという利益が得られる社会では、いやでも外側からの評価を気にし、それが自分の生き方を決める最大の要因になります。

しかし、承認欲求の持つ最大のリスクはその点にあり、一生を通して自分の中に価値基準を持たない人間の悲劇が承認欲求の陰に隠されているのです。

沼田先生も、みてみて欲を刺激してテンションを上げる方法には限界があり、その効果を次のように言っています。

「〔みてみて欲は〕満たされる瞬間はあるけれど、ずっと満たされ続ける状態は続かない。これがみてみて欲の本質的な正体だと思っています。……みてみて欲は満たされない。でも、みてみて欲の満足を求めて努力することは成長のカギ。これがひとまずの結論です」

沼田先生が相手にしているのはまだ小学生。先生が勉強の課題も方法も決めて、その枠に従って子どもたちが最速達成を競争し、みてみて欲の満足感を得ている年齢です。しかし、中学生や高校生ともなれば、「そんなのバカらしい」と冷笑する子もいるし、競争の土俵からさっさと降りてしまう子もいるでしょう。

他人との比較ではなく、自分の中から湧き出る好きでたまらないことを満喫したい子、学びの中で疑問をとことん突きつめ真理に出会いたい子、やむにやまれぬ冒険的探究心――その過程で自分独自の個性と才能に目覚めて、自分の中に価値基準を持つ誇りが芽生えます。自分の価値基準と、外側の承認基準が乖離するとき、承認欲求との葛藤が大きくなることは避けられませんが、そのことについては第三章で述べたいと思います。

承認欲求にともなう影の局面には、認められない悲劇ではなく、認められたことによって起こる悲劇もあります。

一九六四年の東京オリンピックのマラソンで三位に入り、銅メダルを獲得した円谷幸吉《つぶらやこうきち》の自死という悲劇は、再びメダルを取るのが当たり前という「次なる承認」を社会が彼に求めたために、その重圧に耐えられなかった悲劇です。

晴れの舞台、オリンピックでメダルを期待されていればいるほど、オリンピックの本番で失敗する選手は少なくありません。フィギュアスケートでメダルを期待されていた選手がいざ本番で失敗するなど、承認の重圧が本人の実力の発揮を妨げた例はいろいろです。コンクールの本番で何年も準備したピアノ曲がうまく弾けなかったとか、俳優の登竜門のオーディションで失敗したとか、承認されること間違いなし、と成功を期待されればされるほど失敗するのが人間です。それは選手の承認欲求のせいだけでなく、一般の日本人がメディアも含めて、いかに勝利や金メダルという承認にこだわっているかの反映でしょう。

公務員であれ、私企業であれ、職場での承認欲求への執着が、これほどまでに、個人だけでなく社会的に大きな影響を及ぼしていることは、「はじめに」で述べた、就職の在り方にさかのぼってその原因を考えてみる必要があるのではないかと思います。

承認はやる気を引き出す、という意見をこれまで延々と述べてきました。ある一面ではそうです。でもやる気とは何でしょう。やる「気」という言葉は、ほかの言葉では言い換えられない絶妙な言葉です。念のため『広辞苑』を調べてみました。

「気」について『広辞苑』は、「万物が生ずる根元／生命の原動力となる勢い」という解説を入れ、現在の使われ方としては、「心の動き・状態・働きを包括的に表す語」としています。そして、その具体的な例として、「気を静める。気がめいる。気が狂う。気が散る。気が多い。気が短い。どうする気だ。気が知れない。気をそそる。ある女に気がある。根気。気を揉《も》む。気を回す。気を悪くする」など、その用法として、約九〇を挙げていますから、おおよそ気の正体と人間の正体が想像できます。

どんなに命令されても、全くやる気が出ないことには、いい仕事はできません。その気を引き出す承認とは？　ともあれ、承認は、人間にとって重大な役割を持っていることが分かります。

誰もが経験しているように、現在、私たちが日常的に使っている「やる気」には二種類があるようです。収入が増えたり会社の中で地位が上がったり、名誉や名声という外側から得られるものを目的とするやる気と、それとは違って、仕事そのものが楽しく好きだからやるという仕事によって自分が成長している、社会的に貢献しているという生きがいが実感される、内発的なやる気の二種類です。

この二つは渾然としていることもありますが、「給与は低いけど仕事にやりがいがあるから」と、はっきり意識されている場合もあります。

たとえば、富永真己・中西三春「高齢者介護施設における介護職の離職要因の実態」(『労働科学』第九五巻四号、二〇一九年)で、介護職の人に対する介護職継続意思についての質問に対して、介護職の労働は、さまざまの問題に対応しなければならず、低い給与であるのに、七八・八％の人が「介護職を続けたい」と答えている。それは介護の労働が目に見える形で人を助けており、その働きを感謝され、承認されていることから来ているのだろうと思われると推察されています。

自分の中に内的な価値観を持っている人の自発的なやる気が、所属している組織の承認基準と一致していれば、二種類のやる気は相乗効果を生み出し、いい仕事をする原動力となり得ます。自己肯定感を失うことなく、責任ある仕事に適応し、いい業績を残すこともできます。その経験は、誰もが持つ幸せな良き人生経験の一つでしょう。

それとは逆に、個人の内的な価値観と職場の承認基準が合致しない場合は、認められることが難しく、仕事にやりがいを感じられないため、生産性も上がらず、悪循環が起こります。やりがいはないけれど生活のためにいやいやながら我慢して働いていて、承認されないことで、やがて上司への恨みや、仲間の間の嫉妬心を生み、職場の協力を妨げる要因になる実例も、私たちの周囲で事欠きません。ある公務員は、同期で採用された人が理由がはっきりしないまま役職について出世すると、その結果は、役職につかなかった仲間の労働意欲に歴然と影響し、離職率も高くなる、と言いました。

承認欲求について、長年、研究を続けてきた太田肇（『「承認欲求」の呪縛』新潮新書、二〇一九年）もまた、承認をめぐってマイナスの社会現象が起きているのは「承認欲求の呪縛」によるものだ、と警鐘を鳴らしています。

多くの教育の現場では、小学生か大学生かを問わず、褒められ、認められることで、彼らの積極的な学習・研究意欲が促進されることが定説となっています。また医療の現場では、リハビリを受ける人の回復ぶりを、ささやかなものであっても認め褒めることが、機能回復に大きく貢献することが理学療法士の間で常識とされているようです。音楽やダンスなど芸術の領域でも、昔のように厳しく叱咤する教授法ではなく、生徒の長所を認め、褒めて練習の楽しさを感じさせることが才能を引き出す進歩の要諦だといわれるようになりました。才能がある人も自己肯定感だけでなく、そこに外部からの承認が重なってはじめて、よりしっかりした自信が生まれるからでしょう。

「U2」の称号やバッジでやる気を出した子どもと同じように、会社内で個々の社員をよく認め、褒める会社は、生産性が高く社員の離職率が低いという傾向も、統計的にみて確かなようです。監督やコーチの褒め言葉が、スポーツ選手の闘魂と勝利につながった話も数多くあります。このように承認の効力については、すでに多くが語られているのですが、しかし太田が指摘するのは、もしも承認されなくなったらどうするのか、という問題なのです。

家族からも社会からも承認欲求を満たされなかったことが犯罪の誘因になったと推察されている事件は少なくありません。その悲劇については、次の章で取り上げます。

第二章　社会的承認から排除された人びと

承認欲求をめぐるさまざまな葛藤の外側には、社会からの承認を得られなかった「排除された人びと」の人生があります。

1　彼を凶行に追い詰めたのは

私たちを震撼させた新宿西口バス放火事件、秋葉原通り魔事件(以下、アキハバラ事件)、相模原障碍者施設殺傷事件(以下、津久井やまゆり園事件)、そして今も続く類似の事件には「社会的承認から排除された人びと」の共通点があるのではないかと感じつづけてきました。この章ではその中で新宿西口バス放火事件とアキハバラ事件の二つを取り上げます。それはこの二つの事件が第三章に述べるように「貧困」と「社会的排除」という現代資本主義社会の宿痾《しゅくあ》を表しているように思えるからです。

新宿西口バス放火事件とは、一九八〇年八月一九日の夜、新宿駅西口のバスターミナルで発車待ちの京王帝都バスの車内に、突然、火のついた新聞紙とバケツに入れたガソリンが投げ込まれた事件です。一瞬のうちに車内は猛火に包まれ、バスは修羅場と化して、死者六人、重軽傷者一四人(事件翌日の新聞では死者三人、重軽傷者二〇人と発表されている。なお裁判の公判では重軽傷者の数は一〇人)を出した事件でした。放火したのは、建設労働者、M(当時三八歳)で、なぜそのような凄惨な事件を起こしたか、なぜそのバスを狙ったか、という特別の理由は不明、いわゆる無差別殺人・通り魔事件の一つとされています。Mは放火を目撃した通行人に取り押さえられ（彼は、必死に逃げることもせず、地下道の入り口にうずくまっているところを取り押さえられた）、駆けつけた新宿署の警察官に引き渡されました。バスの乗客は、勤め帰りの人、夏休みで小学生の子どもが大好きだったプロ野球のヤクルト―巨人戦を観戦した帰りの親子、母一人子一人の家庭の娘、買い物帰りの主婦、歯科医師など、ガソリンが投げ込まれたその瞬間まで日常の続きの中にいた人びとです。それが突然の放火事件に巻き込まれて数人は非業の死を遂げ、傷害を負った人も、その後の人生に大きな変転を余儀なくされました。

このバス放火事件が起こったとき、社会がどのように反応し、メディアがどのように報道したか、当時の『朝日』『読売』『毎日』の新聞各紙に目を通してみました。事件の衝撃があまりにも大きいことから、犯人への憎しみを増幅する記事が多くなれば、死刑の求刑や保安処分の強化を望む世論が強くなるでしょうし、犯罪の背後関係を、客観的、科学的に調査した記事が多ければ、犯罪を生まないような社会制度や福祉政策改善を実行する道がひらかれるのではないかと思うからです。

当然のことながら事件直後には、一般メディアの論調も、世論も、放火事件で犠牲になった人たちへの強い同情と同時に、犯人への怒りや恨み、非難と処罰要求、狂気の都市社会に対する不安の意見があふれました。新聞各紙は、衣類が焼け、裸同然の重傷者の姿やその家族、焼けただれたバスの内部の写真を掲載し、見出しも「火だるまバス　乗客無残」「なぜ！　ひどい…狂気の放火」（『朝日新聞』一九八〇年八月二〇日）、「夜の新宿　火だるまバス」「許せぬ〝無差別凶行〟」「〝地獄絵図〟　新宿ターミナル」「この怒り、どこへ……」（『読売新聞』同年八月二〇日夕刊）、「乗客30人　炎の中」（『毎日新聞』

同年八月二〇日)。そして、焼死者を出した浮浪者風、放火犯人の逮捕、新宿署での取り調べ状況を追っています。

犯人取り調べの情報の中で、『読売新聞』の記事は犯人を悪人と決めつけた特別な反感が強いように思われました。犯人Mの態度は「ふてぶてしさを増すばかり」「「何も覚えていない」と……ごう然と胸を張るようになった」(八月二一日)、「ささいなこと逆恨みか」(八月二二日)、「(Mには)盗癖があり……他人の家のカキやクリなどをよく盗んでいた」「四人の兄弟は、ほとんど学校にも行かず」(八月二九日)、という報道です。しかし、まだ理由が明らかになっていないときにささいなことを逆恨み、とは言えないでしょうし、カキやクリの実をとったから盗癖といえるのか。昔、私の実家の裏庭のカキの実も学校帰りの小学生によくとられましたが、父は、自分の子ども時代を思い出すのか、笑って見逃していました。M自身は確かに小学校の四年生ごろからあまり登校しなかったようですが、兄弟については、福島鑑定書(後述)によれば、兄弟は義務教育修了後、それぞれに家を出て山口県や大阪で職を得て、社会人として立派に生活し、平和な家庭を築いている、Mの家系には精神疾患などの者はいない、とあります。「兄弟は、ほとんど学校にも行かず」というのは、『読売』だけの記事なので、事実なのか、放火した者の家族だから悪者だという先入観が強かったのか、決めつけているような気もしないではありません。

しかし、その後の新聞の記事からは時の経過とともに、通り魔犯罪の被害者に対する同情と並んで、公的保障制度や、大都市の人間関係の希薄さ、ホームレス問題、犯人個人の成育歴、精神障碍者に対

する保安制度の強化など、多面的な議論が展開されるようになります。たとえば『朝日新聞』には、

「おそらく犯人は行為の結果を予測する感覚を持ち合わせていなかったと思う。短絡的で目の前のことしか頭にない状況だったろう。……自暴自棄的な浮浪者にありがちな行動の典型だ。……大都市の不安を象徴している」(岩井弘融、犯罪心理学)

「特定のだれかれでなく、不特定多数への恨み、社会一般へのばく然たるえん恨があるのではないか……浮浪者だけに、オレだけがなぜ……という憎しみが、一般の人以上に強かったのかもしれない」(赤塚行雄、評論家)

「バスの運転手、乗客が自分をバカにしたなどと思いこみ、親しくもない不特定多数の人を攻撃するのは多くの場合、精神分裂病〔現・統合失調症〕の初期か、前に治療を受けたが再発したケースに見られる。精神分裂病そのものには百人に一人はかかる可能性がある」(小田晋、精神衛生学)

「行きずりの衝動的な犯罪が増えているが、その背景として地縁・血縁社会が消え、人のつながりが薄れてきていることが指摘できる。……街頭に立つと周囲は無関心と孤立があるばかり。……犯人が街頭に暮らす浮浪者だったというのも偶然ではないのではないか」(島田一男、社会心理学)

(「理由なき凶行——識者の見方」『朝日新聞』一九八〇年八月二〇日)

などの意見が見られます。

また、同紙社説(八月二一日)では「異常きわまるバス放火事件」というタイトルで、「連続放火事件の犯人の犯行の原因、動機を調べてみると、不満を発散させるために火をつけたという者が圧倒的に多い。経済の高度成長は、欲望を肥大させ、相対的な貧富の差を生みだした。競争から振り落とされた層のなかに、特定のだれかにでなく、社会全体に対する、ばく然とした不満やうらみがよどんでいる。……都市の安全を守るためには、無差別殺人をにくむと同時に、こうした犯罪を現代社会の病理現象としてとらえる対策が必要である」と述べています。

しかし、犯人は競争から振り落とされるまでもなく、はじめから競争の中にさえ入れなかった人間だったのです。格差がつくり出す相対的貧困ではなく、絶対的貧困者だったのです。

事件から四か月後、一二月三〇日の『朝日新聞』のコラム「追伸'80 東京にて」には、もっとリアルな局面が語られます。新宿西口バス放火事件をきっかけに浮浪者たちの追い立てがより強化され、四か月すぎた後の一二月においても続けられていた「新宿クリーン作戦」です。

パトロールのくつ音がコンクリートの地下街に響く/「もしもし、ちょっと起きてくれ。住まいは?」/「おじさん、ここは寝ちゃだめなんだよ。わかるだろ?」/ピクッとはね起き、寝具代わりの段ボールをもぞもぞまとめる。追い立てをくった男たちの背に師走の風が吹きつける。……「ゴミじゃあるまいし。自宅前だけ掃いて隣の家の前へ散らしたって、解決はしませんよ」。

十五年余りこうした人たちを低額宿泊施設「新光館」で見続けてきた救世軍の武井貴館長(六四)は言う。

(『朝日新聞』一九八〇年一二月三〇日)

犯罪対策とは結局ホームレスをごみ扱いにすることだったのだろうか。

新宿西口、東口各商店振興組合、新宿区などで組織している新宿駅周辺環境浄化対策会議が〔十月〕二十七日開かれた。……〔バス放火事件を受けて〕官民一体となったパトロールを実施、浮浪者の一掃作戦に乗り出すことを決めた。……〔新宿署に〕区役所、商店会、新宿駅地下鉄などを加え、九人でチームを作り、週二回、西口、東口地下通路、歌舞伎町周辺などを重点的に巡回することにしている。

(『朝日新聞』一九八〇年一〇月二八日)

奥野誠亮《せいすけ》法相(当時)はすでに、八月二六日の閣議で、新宿西口バス放火事件に関連して、「現行刑法は精神障害者やその疑いのある犯罪者への対処が不十分。こうした人に対する保安処分を含む刑法全面改正を急ぐ必要がある」と述べていました(『朝日新聞』一九八〇年八月二六日)。保安処分とは「精神障害者らが禁固以上の刑にあたる行為をした場合、将来再び禁固以上の刑にあたる行為をする恐れがあれば保安施設に収容する」というもので、この発言の直後から法曹界や学界からは人権を侵害する犯罪取り締まりの厳しさだけが先に立ち、普通の人が犯罪者にならないような社会の側の改革を真剣に考える視点が欠けていると反発の声があがりました（同右）。しかしその後、公判が進むにつれて、Mが、二歳のときに、母を亡くした生育歴や、彼の内気でまじめな性格、土木工事に従事して働いていた間、遅刻も欠席もなく、酒癖が悪いこともなく、ケンカして乱暴を働いたこともない。金銭に潔癖でボーナスを支給されたとき、自分はボーナスをもらうほど働いていないから、と言って返しに行ったり、子どもを施設に預けている養育費として毎月五〇〇〇円を払う約束だったが、遅れながらも日々の賃金からそれ以上のカネを払い続け、放火事件を起こしたとき、子どもの預金通帳には六九万七〇〇〇円余りの預金があったなど、公判を重ねる中でそれらのことが明らかになり、しだいに新聞の論調も変わっていきます。

「鑑定結果から浮かび上がって来るMの裸の人間像は、意外にも、律気で哀れな父の姿をも思い起こさせる」（『朝日新聞』一九八〇年一〇月三〇日）。統合失調症の妻を精神科病院に入院させ、子どもを施設に預けていることに、強い自責の念を持つMは、妻の精神疾患はMのせいでない、といくら言っても「おれは悪い人間ですよね」と自分を責め、鑑定人の逸見武光教授が「事件の悲惨さとMという人間の哀れさの間で、深刻なジレンマを感じる」と述べていることも紹介しています。

最終的に裁判長は職権で、東京大学の逸見武光教授と上智大学の福島章教授にMの精神鑑定を依頼し、八四年四月二四日に、福島の鑑定結果に沿った心神耗弱による無期懲役を言い渡しました（心神耗弱という点では逸見教授も同意見）。

Mの放火事件は、自己責任の追及から、しだいにMをめぐる周りとの関係性に調査の焦点が移り、鑑定人によってM個人に対する徹底的な医学的調査や心理学的調査が行なわれて、Mは検察が求刑した死刑ではなく無期懲役となりました。

どの個人も社会関係の中に生きているという当たり前のことが、Mの場合、死刑を前にしてやっと認められたのか、という切ない感情を、私は持ちました。一審の判決は二審でも認められたので、新聞の判断もそれに合わせるものになり、無期懲役を妥当とする論調がそろっています。なかでも一審判決に対する『毎日新聞』(一九八四年四月二五日)の「バス放火事件判決に思う」という社説は、問題の核心を把握した、説得力のある記事です。

死者六人、いまなお全身ヤケドの後遺症に悩む人をふくめ被害者が二十人にのぼったこの事件は、犯行そのものがきわめて異常であり、無差別殺人事件の典型的なケースであった。……私たちとして考えなければならないのは、こうした残虐な無差別殺人事件がなぜ起きたのか、その社会的な背景であろう。……判決によると、被告は「内向的でおとなしく、従順で素直な性格を有するとともに、繊細で感受性の強い性格を持ちあわせ」ているという。……そうした男がなぜ、こんな残虐な犯行に走ったのか。……被告に対する世間の人々の差別や偏見が「憤まんの情」を助長させなかったかどうか。私たち一人ひとりが抜きがたく持っている社会的弱者に対する差別と偏見の意識に対し、自らきびしく問わなければならないことを、この判決は示唆しているように思える。

一九八四年四月二四日の東京地裁の判決文の中でかなり長く引用され、裁判官に評価された福島鑑定書は、Ｍに死刑ではなく、無期懲役の判決をもたらしました。ここでは本章とのかかわりでその要点を簡潔に整理し、素人ながらの私の感想を付け加えたいと思います。

福島章編著『現代の精神鑑定』（金子書房、一九九九年）の中で、福島は、その「まえがき」を次の言葉で始めています。

……犯罪や非行というものに対しては、これを特別な人間によって犯される例外的な事件だとして無視する立場もあろう。しかし、現実に起こった個々の事件を探究して行くと、時代や社会の状況とまったく無縁で特異な現象だといえることは少ない。……

しかし、「犯罪が時代を映す鏡」であるとすれば、その鏡のイメージは歪みや欠落のない正確なものでなければならない。個々の犯罪事件を研究して同時代の病理を直視し、わが身を顧みたり、社会のあるべき方向を模索したりすることに意味があるとすれば、その「鏡」は、事実を正しく映し出すものでなければならない。そうでなければ、そこから生まれる考察も反省も見当外れのものになってしまうだろう。

（「まえがき」）

また「解説」では次のようにいっています。

この事件は、経済成長の著しかった同時代にも、貧しさに喘《あえ》ぐ人がいるということを示したことで社会に大きなインパクトを与えた。そして、貧困、無知、社会的疎外、犯罪という連鎖を示唆したという意味では、……犯罪社会学的な問題を提起する事件でもあった。……さらに、刑事責任能力の評価にしても、完全責任能力として公に死刑を判決すべきであったのか(判決確定一一年後に、彼は絞首刑と同じ死に方を自ら選んでいる)、それとも責任無能力として精神医療の手に委ねる方がよかったのか、今となっては多くのことを考えさせるケースでもある。

(「新宿西口バス放火事件」解説)

Mは、一九四二年六月、福岡県北九州市で、六人兄弟の末子として生まれました。六人兄弟のうち四男と長姉は、幼くして病死しています。Mの父は一九〇六年生まれで、戦時中は造幣廠に、戦後は消防署に勤務していましたが、四二歳のころ消防署をやめ、農業を専業として働くようになりました。父は、一九二九年ごろ一八歳であった母と結婚しています。母は夫にも従順で、子どもにも、めったに怒ったことがない優しい母でした。母も農業に従事していましたが、Mが二歳のとき、台風で住居が倒壊し、その下敷きになって亡くなります。当時三三歳でした。父はおとなしい性格で、無口な人でしたが、お酒を飲むと愚痴をこぼしていたようで(長男の話)、母が亡くなってからは、酒量も増え、仕事もあまりしなくなり、田畑を切り売りして生活するようになりました。暮らしは貧困のどん底でした。父は一九六一年、脳溢血《のういっけつ》で死亡します。

Mの二人の兄は義務教育が終わると、それぞれ家を出て山口県や大阪で職を得、学歴こそなかったけれどもまじめに働き、社会人として立派に生活し、平和な家庭を築いています。とくに次兄は後に述べるようにMの職を世話したり、Mが体調を壊したときなど、自家に引きとって親切にMの面倒をみています。福島鑑定書は「家系には精神病・異常性格・犯罪者・自殺者などの遺伝負因は認められない」と述べています。

Mの幼少年時代は、相手になってくれる親もなく、兄たちも早くに家を出て、孤独でしたが、とくに暗いところもない素直な少年だったようです。小学校の四年からは、学校の欠席が多くなりましたが、父の農作業の手伝いをして、黙々とまじめに働いていました。寂しいときは学校の友だちの家に遊びに行ったり、兄がいたころは釣りに行ったり、野鳥を捕獲したりして、魚や鳥のことについてはとりわけ豊富な知識を持っていました。

Mは、一八歳で北九州市の製材会社に勤め、翌年にはブロック工員として働き、その後、同僚の誘いで大阪に出て働きますが、腰痛を起こして、山口県岩国市にいた次兄の下で二年間休養します。その後、次兄とともにとび職の仕事をするようになり、そこでも、コツコツと勤勉に働きました。金銭にも潔癖で、社長からもらった小遣いやボーナスを「自分はそれだけの働きをしていないから」と返しにいったこともあります。

しかし、結婚を機に、Mの生活に異変が起きるようになります。Mの妻は、中学を卒業後、繊維工場、デパート、喫茶店、バスガイドなどをして働いた後、バーで働いていたとき、Mと知り合って結婚し、専業主婦となります。しかし、子どもが生まれてから統合失調症を発症して入院し、協議離婚の後、子どもは乳児院に預けられ、その後も施設で育ちます。Mは施設に預けた子の父親として、規定額以上の金額を施設に送り続け、たびたびみやげを持って施設を訪問し、健康に育っていく子どもと面会します。Mが事件を起こしたとき、子どもの預金通帳には六九万七〇〇〇円余りの預金額がありました。

ところが、ある夜、Mが酒に酔って、同じアパートの他人の部屋に侵入したことから警察沙汰になり、酔っていて意味不明の言葉を発していたため、精神科病院送りとなります。病院では、問題も起こさず、アルコール依存症もなく、精神的な病変もないので、四か月で退院しますが、その後、警察や役所の人に監視されているという恐怖におびえて、岩国にはいられないと思いこみ、岩国を出て、仕事を転々とし、あるときは飯場に泊まったり、野宿をしたりして、各地での転職をくり返します。しかし、仕事を怠けることもなく、欠勤や遅刻もなく、酒癖が悪いとか借金があるわけでもなく、まじめに建築現場の仕事を続け、誰も彼を非難する人はいませんでした。けれども、精神科病院退院後のMは、とくに人を避けるようになり、いっそう内向的になって、ひとりでポツンとしていることが多く、一時期は被害妄想、追跡妄想、関係妄想に陥っていたこともありました。迫害者は警察・役所でした。

私がそれを知ったとき、津久井やまゆり園事件の加害者も、一時、精神科病院に措置入院させられ、それがその後の彼の人生に絶望を与えた、と評している精神科医のことを思い出したのです。その精神科医によると、措置入院の際に警察は精神科医に承認を求めてくるけれども、サインをする精神科医自身、短時間では診断できない。一時隔離するほかないというのでサインすることになるが、それが患者に心的外傷を与える、と言っていました。放火事件を起こす前のMは、東京の世田谷区の工務店で、一九八〇年七月からまじめに働いており、Mに疑念を持った人は誰もいませんでした。

お盆休みでたまたま新宿駅付近をぶらぶらして時間をつぶし、不幸にも通行人に泊るところをたずねたら、「高い旅館なら知っている」とからかわれたり、飲酒してデパートの地下階段で独りごとを言っているとデパートの係員から「そんな所で座ってちゃだめだ」と言われ、地上に出ると、また「うるせえぞ」とゴミ同然に追い払われ、コインロッカーの荷物がなくなっていたり、とさまざまな出来事が重なり、鬱屈した思いが爆発してバス放火事件が起こったのでした。

福島鑑定書の検査結果は、「内科的理学的検査結果は正常。神経学的検査も正常、脳波検査もおおむね正常。臨床検査所見、血液学的検査も正常。運動機能も異常がない。脳レントゲン断層撮影(CT)も正常で脳の萎縮もない。一〇の心理テストの結果は精神薄弱との境界域にある」と書かれており、その原因には環境の影響が挙げられています。

Mは、貧困と孤独(社会からの排除)の両方を背負っていました。福島鑑定書に拠らなくても、新聞報道や、テレビ、出版物などを通してMの生い立ちや生育歴を知った人の多くは、彼が義務教育を終え、たとえ成績がよくなくても、もっと字が読めて、話せて、仲間を持ち、仲間との行動や対話の中で、生きていくスキルや判断力を幅広く身に付けることができていたら、そして、より継続的な職を得ていたら、あのような犯罪を起こすことはなかったのではないか、と思ったのではないでしょうか。

鑑定書の中の身体所見を見ると、Mは仕事にあぶれたときには野宿をし、生活拠点となる住居を持たず、身体の健康を維持する衛生的な生活環境も、栄養状態も、心身をリラックスさせる文化的楽しみも不十分だったと思われる中で、驚くほど健康な身体を維持しています。

若いとき、腰痛で兄のところで静養したことがあり、酒に酔って自分が住んでいるアパートの他人の部屋に入り込み、精神科病院に四か月入院させられたこともありましたが、本人の性格は、仕事にはコツコツとまじめに取り組み、不平も言わず、金銭欲も非常識なところや汚いところがありませんでした。周りに社会的情報に通じた友人がいて、遅まきながらでもボランティアによる教室か夜間中学などで義務教育レベルの教育を補い、適切な助言や職業訓練を受けていれば、働くことが嫌いでなかった彼にとって、生きていくのに大きな困難はなかっただろうと思います。

福島鑑定書によれば、知能診断検査の結果は、知能指数が正常下位と精神薄弱との境界域にあるとなっていますけれども、教育や文化的影響を受けやすい単語問題においてとくに成績が劣っているため、言語性知能指数を引き下げる結果となっている、と診断されています。そのことはもともと知能が低かったのかどうかという疑問が湧いてきます。それよりも、彼が二歳のとき母親が死亡し、その後、母親に代わって愛情をもって彼と対話をし、保護する大人がいなかったことに大きな原因があるのではないかと思われてなりません。

二歳といえば、幼児が語彙を爆発的に増やしていく語彙爆発期と重なる時期です。親の言葉が分かってても分からなくても、乳児には生まれながらに応答する能力があると信じている親は、乳幼児に対して対話的言葉を注ぎ続けます。そのことによって、乳幼児は言葉を獲得していくのです（今井むつみ『ことばと思考』岩波新書、二〇一〇年参照）。

私自身の子育てを思い出しても、親が乳児に声をかけたり、抱き上げたりすると、乳児はそれに反応して、手足をばたばたさせたり、笑顔を見せたり、「いや」という拒否反応を示して顔をそむけたりして、応答するしぐさを示すようになります。お乳を飲んで眠って排泄するだけだった乳児が、親の働きかけに応答する成長ぶりをみると、親は大喜びです。子どもは衣食や暖かな寝具や入浴だけでなく、周りから無機質な言葉ではない、愛情のこもった言葉をかけられることが、その後の言語獲得と成長の絶対条件なのです。それだけではなく、たどたどしい子どもの言葉に、じっと耳を澄ませ、子どもの表現から何かを読み取ろうとする親の応答能力は、子どもにコミュニケーションの快さを経験させる土台となり、対話と応答を通して行なわれるその後の教育を享受する土台ともなっているのです。

赤ちゃんが初期に耳にするのはおそらく意味のない「音（音素）」の連続です。私たちが小鳥のさえずりを聞いたり、機械の動く音を聞いたり、聞いたことのない外国人の話を耳にしたりするように、そこからは、何の意味も読み取れないでしょう。しかし、赤ちゃんはその中から意味のある言葉を聞きわけ、その意味を知るようになります。そしてその理解した意味にしたがって、反応を示します。

私は子どもに聞いてみたかった。どうして、誰も教えない、文法の本もない中で、子どもは言葉の意味を知るようになったのか、と。今にしてその驚嘆する思いが消えることがありません。

「対話」について、ベラルーシ出身の心理学者、レフ・ヴィゴツキーは、次のように言います。

> 人間の思考(内的発話)は、まず幼児と両親の間で交わされる対話の相互作用の中から生まれる。幼児にとっての言葉は、自分の身体の外側にある社会的な環境(言葉という、意味の環境)から与えられたもので、およそ三歳から七歳の自己中心的な発話の時期に、言葉と意味というシステムを自分の心理機能の内側にとり入れ始める。先ず対話があって、そこから自己の言葉[内言]や思想がつくられる。
>
> (『思考と言語』(新訳版)、柴田義松訳、新読書社、二〇〇一年)

子どもは生後一六か月ごろから、「語彙爆発」といわれる時期を迎え、一週間に平均四〇語も語彙を増やし、六歳児にもなると一日に二〇語も語彙を増やしていきます。そして世界中の子どもは五〜六歳になるまでに流暢な母語を話すようになります。

この語彙爆発期が人間に特有な現象であることは、学者たちの一致した見解です。語彙爆発期は、ちょうど子どものかわいい盛りで、親(大人)と子どもの接触が最も親密な時期でもあります。子どもの方も、兄弟や大人同士の話に、大きな関心を持つ時期です。対話が子どもに対してどんなに大きな影響力を持つか。子どもの語彙の質と量は、子どもをとり巻く文化的環境によって左右されることは早くから経験的に知られていました。

Mが抽象的理解力に乏しく、言語による表現力が低いことが、知能指数を引き下げている、と診断されていますが、その原因は、やはり幼年時代の言語環境にあるのではないかと思います。もし母親が生きていて、意識的にも、無意識的にも愛情のこもった対話的言葉と行動を彼に注ぎつづけていたら、より豊かな表現能力を持った人間になっていたのではないか。Mの理解力がとくに弱いと指摘されている抽象的言語についても、子どもが大人との対話のなかで、大人との交流が発達すればするほど言葉の一般化(一般の人に分かってもらう表現)を広げていく、という正比例関係を、ヴィゴツキーは強く指摘しています(これらのことについては、前掲拙著『対話する社会へ』参照)。

本書の第一章で、障碍者の施設で働いている指導員の話を紹介しました。そこに入所していた知的障碍を持つ青年は、知能が遅れているためか、言葉が不自由で意思疎通ができないためか、時々暴力に訴えたり、常識外れな行動をとって、施設内の障碍者や職員に疎まれていました。その状況を好ましくないと痛感した指導員は職員みんなで話し合い、討議を重ねた結果、「この障碍のある青年の行為を、否定的にとがめることを一切やめ、彼のすべてを受け入れる」ことにします。その結果、障碍を持つ青年の方から職員に話しかけることが多くなり、驚くことに、人間関係に親しみと信頼が積み重なっていくに従って、これまで彼は知能が低くて話せないと思われていたのに、かなり多くの語彙を使って、豊かな話し方で話すようになったのです。「彼はこんな言葉も知っていたのか」と多くの職員は驚き、これまでの認識の間違いを深く反省させられました。

環境は、それまで使われずに心の奥に閉ざされていた言葉をよみがえらせるのです。私は外国で、十分に出てこなかった外国語の能力が、周りの環境をきっかけに引き出され開花するのを経験しているので、そのことを疑いません。

Mの人懐こい真面目な人柄や彼が持っていた潔癖な倫理観を考えると、鑑定書では見出されなかった言語能力が本当は潜在していたのかもしれないと思うのです。「自分は頭が悪い」とか「学校を出ていない」という自己否定に苛まれていた彼が、周りから承認される温かな人間関係を持っていたら、奥深く眠っていた言語能力を、もっと発揮できたのではないでしょうか。そうであれば、知能診断検査から形式的に判定された軽度の精神薄弱とは違った結果が見られたのではないでしょうか。彼が学校嫌いになったのは、勉強が嫌いだったからという理由だけではないのではないでしょうか。母親のいなかった彼は、毎日こざっぱりと洗濯された服装をして、破れていない靴下や靴を履いて、登校したのでしょうか。遠足や運動会にどんなお弁当を持っていったのでしょうか。宿題は誰が見てやったのでしょうか。小学校入学後の最初の遠足にも彼一人は参加せず、記念写真にも写っていません。彼が好きだった魚や鳥の生態を説明した図鑑を図書館で借りることができると、教えてくれる人がいたのでしょうか。誰か買ってくれる人がいたのでしょうか。子どもは、いや、人間は、好きなことがあれば、好きな科目については誰に言われなくても勉強するようになります。おそらく彼は学校が嫌いではなかったのではないでしょうか。なぜなら、子どもは、仲間がいるところが何よりも好きだからです。学校で子どもたちは、もし勉強ができなくても、遊び上手な仲間や、昆虫採集にたけた仲間を尊敬します。学校で、みんなの知らない鳥や魚や虫の生態を教えたり、すぐれた観察発表の機会が与えられたりすると、一転して仲間から驚異の目で見られ尊敬されるようになることも珍しくありません。

福島鑑定書では、さらに、精神薄弱のゆえにMはコインロッカーから自分の荷物がなくなっていたり、他人からうるさいと注意を受けたことが大きな傷になり、カッとして放火したことになっています。私はその原因が知能の低いためだとばかりは言えない気がするのです。私がこれまで付き合ってきた子どもたち、学生、移民の中には、一人や二人は必ず引っ込み思案で、おとなしく、自己主張ができず、動作も遅くて、他人から注目もされず、認められていない人が交ざっていました。けれども、彼らにももちろん人間の尊厳とか人権といわれる強い自己防衛感情は必ずありました。自己主張をしない性格のため、意地悪な友人からいたぶられたり、不公平な扱いを受けたりすることがあっても、その自己防衛感情は逆に一般の人よりも強固で、自己防衛の砦《とりで》を守っていたような気がします。この砦が崩されそうになったとき、彼らの我慢は爆発する――。

いつものおとなしい人間の姿からは予想できない思いがけない抵抗を示します。なぜなら、秘められた自尊感情こそは、人間の心の深奥にあって、本人を生かしている最後の砦だからです。自尊感情が根底にあって、人は公正でないものを直感的に判別し、心の奥底では、諦めずに自分を信じて、自分の生き方で生きているのではないかと思います。

「自尊感情を失い、生きている意味を信じられなくなったとき、人は自死を選ぶ」と、ホームレスを世話しているある神父は言っています。

通行人が泊るところをたずねたMに、お金がない日雇いの労働者と知りながら、わざと高いところを教えたり、生きている人間を道路のゴミ同然に追い払ったり、さげすんだ警告の罵声を浴びせたり、コインロッカーから管理事務所が私物の荷物を持ち去っていたり、彼にとって自分の生を危うく支えていた自己防衛感情は、お盆休みの短時日の中で、これでもか、これでもかというように、蹂躙《じゅうりん》されました。そう感じたとき、彼の我慢の一線がついに切れて「バカにするな、自分にもこれだけのことはできるぞ」という自己存在の証明を前後不覚の状態で、ただ一途に社会に知らしめようとしたのが、放火事件だったのではないでしょうか。彼は自分を消さないために、生かしておくために「俺はここにいる、俺だってこれくらいのことはできるぞ」という自己存在の証を、放火によって示す行動に出たのではなかったでしょうか。

Mは、魚や鳥などに関しては知識も豊富で、楽しそうに話していたといいます、学校で同好の仲間や教師に出会えていれば、好きなことを持っていることが、発達のモチベーションになった可能性は大きく、その過程で彼はきっと楽しい瞬間を持ったに違いありません。鳥や魚のことについては、他人よりもよく知っているという優越感を持ち「自分は頭が悪い」とか、「学校を出ていない」という強い自己卑下の感情からも解放されたのではないでしょうか。人には得手不得手があるのだから、自分にもできること／できないことがあることに納得できたのではないでしょうか。

グローバルな資本主義の競争社会の中で、結局は能力至上主義、競争の勝者礼賛主義、点数主義に「偏った承認の文化」が蔓延し、その文化に染まっている私たちが、この世に生まれたかけがえのない一人ひとりの生命と人生に、真摯に向き合うことを軽視して、承認の人間関係をつくれないでいるのではないか。そのことに対する回答として、とりかえしのつかない事件が次々に起こっているのではないか。それはマイノリティの承認をめぐる生死をかけた闘争ではなかったのか……と思います。

なお、ここで強調しておきたいのは一九八四年四月二四日の新宿西口バス放火事件第一審判決文において、福島鑑定書がMに対して行なった一つひとつの心理テストの数値を絶対視して結論を出しているのではなく、「〔軽度の精神薄弱であっても〕状況と対人関係に恵まれれば稼働を続けることは十分可能である」と述べている点に注目しそれを評価していることです。それは、社会関係が人間にとって、とくに弱者にとって、いかに大事であるか、ということにほかなりません。

2　親子の承認欲求と競争社会

全く異なる事件であるように見えるアキハバラ事件(二〇〇八年)や、その後に続く津久井やまゆり園事件(二〇一六年)、京王線車内の無差別刺傷事件(二〇二一年)など、一連の事件報道に接すると、「かけがえのない一個人として、社会から承認されたいと願いながら叶わなかった、鬱屈した孤独な人生」の持ち主たちの共通点が浮かび上がってくるような気がします。精神科医の斎藤環の言葉を借りるなら、彼らは「「承認されたい」「でも承認されっこない」「承認されないならみんな爆発しろ」「でもやっぱり承認されたい」」(斎藤環『承認をめぐる病』ちくま文庫、二〇一六年)の堂々めぐりをくり返していたのでしょうか。

アキハバラ事件については真摯に解を得ようと試みたいくつかの著作があります(斎藤環前掲書。中島岳志『秋葉原事件』朝日新聞出版、二〇一一年。大澤真幸編『アキハバラ発〈〇〇年代〉への問い』岩波書店、二〇〇八年。加藤智大『解』批評社、二〇一三年。『年報・死刑廃止2022　加藤智大さんの死刑執行』インパクト出版会、二〇二二年など)。

アキハバラ事件とは、二〇〇八年六月八日一二時三三分。二五歳の自動車製造工場で働く派遣労働者Kが、二トントラックで秋葉原の歩行者五人をはね飛ばし、トラックから降りて歩行者天国の通行人を次々にナイフで刺し、死者七人、負傷者一〇人を出した日本の犯罪史上類例を見ない、無差別殺傷事件です。にもかかわらずKのこの行動に対して「自分もそうしたかもしれない」と共感する若者の反応が直後から拡がりました。

すでに知られていることかもしれませんが、念のため彼の生育歴を簡単にふり返っておきます。

Kは、一九八二年九月、青森県で生まれました。

父は、一九五八年生まれ。青森市内の高校を卒業した後、地元の金融機関に就職します。

母は、三歳年上の一九五五年、青森県の生まれで、地元の名門高校を卒業後、父と同じ金融機関に就職していました。ここで父親と母親は出会って結婚し、母は退社して、専業主婦となります(父母が二人とも四年制大学を卒業していないことが、Kには学歴をつけさせたいという厳しいしつけと、過剰な干渉の一つの理由だったかもしれない、と想像する識者もいます)。

Kが生まれたその三年後には弟が生まれ、Kが四歳のときに一家は青森市の家に引っ越しました。Kが子どものときから、両親、とくに母親に虐待と思われるほど厳しくしつけられたことは、K自身が裁判で語ったことや、弟が『週刊現代』に発表した手記、K自身が書いた著書などに、重複して語られているので、ここではいくつかの例を挙げるにとどめたいと思います。

一般に誰でも、子ども時代には親(大人)の保護・管理下に置かれて生きています。けれども、親や大人から管理されるだけでなく、仲間との自由な遊びの時間と空間を合わせ持つことによって、子どもは自分の人生の主人であることの楽しさと喜びを経験します。それが大人になったときの自立の喜びの原体験になっているのだと、くり返し説いたのは、小児科医でもあり思想家でもあった松田道雄でした(松田道雄『自由を子どもに』岩波新書、一九七三年)。私も子育ての中で、この本から学ぶところが多かった記憶があります。

子どもを一〇〇%近く親の管理下に置き、子どもを支配することが、子どものその後の人生にどんな影響を与えるか。Kの母親も、母親としての愛情を持っていたでしょう。でも、その表し方について、ぜひとも読んで欲しかった一冊です。第一章にも紹介したように、私の友人も母に褒められ気に入られようとした子ども時代がいつまでも尾を引き、独立して会社員として働くようになってからも、上司の顔色ばかり気にして自分の本当の意見が言えなかった人生を悔やんでいました。「親子」の関係には、親自身が持つ欲求不満や虚栄心や愛情と保護と支配の関係が絡みあっているので、程度の差はあれ、それが子どもの生き方を縛っていることに気が付きにくく、気が付くのはずっと後になってからなのです。

松田道雄は次のように言っています。

——子ども時代の仲間との自由な遊びを通して、子どもは自発的な能力を育てる。管理から解放された自由な遊びは創造性を育て、個性を育てる。家のなかだけでは子どもの精神は育たない……精神がそだつためには自由を与えなければならない。自分が自分の主人になったことのないものの精神は自立することがありません。——

Kの母親のしつけの厳しさについては、次のようなことが本人や弟や母親自身によって語られています。

Kは、小学生のころから、本人の意志を無視して珠算やスイミングスクールや学習塾に通わされ、友だちとの自由な交友も許されていませんでした。しつけのために、厳寒の雪の日に薄着で外に立たされていたこと。風呂で九九の暗唱をさせられ、間違えると頭を押さえつけて湯の中に沈められたこと。食事が遅いことに腹を立てた母が食事をチラシの上にぶちまけて、それを食べるように命じたこと。中学三年で同級生の女性と交際し始めたとき、反対してやめさせ、やめなければ転校させると命じたことなど……。

厳しいしつけである一方、母親はなぜ厳しい罰を与えるのかその理由を子どもに説明したことが全くなく、そのため、母がなぜ怒り、叱って罰を与えるのかその意味が分からないまま兄弟は、逆らうともっと厳しい罰を与えられるので、従うほかありませんでした。

家庭教育の中で体にしみ込んだこの体験は、Kのその後の人生の中で、言葉によって解決するという、最も人間的な行為を不可能にしたのではなかったかと思われます。彼は、気に入らない行為をした相手に対して、自分の気持ちを伝えることをせず、いきなり殴りかかったり、自分の方で職場を去ったりしています。親はともすると子どもがたどたどしく言おうとしていることを察して、先回りして親の方から言ってしまいます。子どもが言い終わるまで辛抱づよく聞き、足りないところはこちらから質問もして、子どもの意見を一生けんめいに聞くべきなのに。

Kは小学校でも中学でも頭がよく成績優秀で、運動能力にも優れていました。中学では科目別に上位一〇人の生徒の名前が貼り出される中にいつも入っていて、一、二位を争うほどの成績だったといいます。名門高校に入学したときは、両親も喜んで祝ったともいいます。けれども、友人の言葉によると、すでにKは高校入学前からやる気を失っていて、心が折れた状態だったそうです。入学して最初の試験ではビリから二番目。その後も勉強はせず、友人の家でゲームに熱中する生活をしていました。車が好きだったKは名門高校に入学したかったのではなく、工業高校のように、学んだことが直接実際に活用できる、工具を持って実地に学べる高校に入学したかったのです。しかし母の勧める高校を受験、入学しました。

高校卒業後、親が勧める四年制大学には行かず、自動車に憧れていた彼は、自動車関連の短期大学に二〇〇一年四月に入学します。二〇〇三年三月の卒業後は、同年七月に人材派遣・企画会社として知られる大きな会社に職を得て、車を誘導する警備の仕事につきます。Kは仕事ぶりを評価されて、警備の仕事から内勤にかわり、統括の仕事をする準社員となりますが、そのうちKは、上司に提案を無視されたことが不満で、退社しました。

二〇〇五年、別の派遣会社に登録して、埼玉県上尾市の自動車メーカーで仕事をすることになったが、上尾には、ゲームを楽しむ仲間も休日をともに過ごす仲間もなく、このころからKは携帯サイトの掲示板にはまるようになります。

ところが、あるとき、会社で正社員から「派遣のくせに、黙ってろ」と言われたことから、二〇〇六年四月、何も言わずに荷物をまとめて退社します。

同年五月、茨城県つくば市内の住宅関連の部品を製造する工場の仕事を得て、仕事には充実感を持ち、会社の仲間との関係も良好でしたが、ゲーム仲間がいなく、掲示板の仲間からも、しだいに敬遠されるようになり、彼は孤独感を深めていきました。

そのころから、Kは自殺を考えるようになります。青森県内のバイパスで、自分の好きな車に乗って対向車線のトラックに正面衝突することを計画し、運転する車内から友人に自殺予告のメールを送り、母に電話をします。しかし、酒気をおびていたKは、Uターンしようとして縁石に車をぶつけて車を大破し、自殺は不成功に終わったのでした。その日、三年ぶりに実家に帰ったKは母に抱きしめられ、これまでの行き過ぎた教育を謝罪され、実家に戻ることになります。

Kはその後、母の出資で、実家から教習所に通い大型免許を取得。青森のある運送会社に就職し、学校給食のための牛乳配達の仕事に就きます。大型車を任され、好きな運転をして牛乳を待つ学校に届ける仕事は、彼にとってやりがいのある仕事でした。その職場で、信頼する先輩Fのチームに入り、はじめてホンネを話せる人間関係を持つこともできました。Kが本当に人間関係を築けたのはこのFと、後に上野の駐車場で立ち会った駐車場の管理人の二人だけでした（この関係については第三章で述べます）。

ところがその後、新しく転職して働いていた静岡県裾野市にある車の最終検査の仕事が縮小され、二〇〇人の派遣労働者のうち一五〇人がクビになること、その中にKも入っていることを上司から聞かされたのです。後になってKは解雇を免れたことを知るのですが、自分はいつでも他人と取り替えられる道具の一つに過ぎず、必要とされていない人間だという孤独感を強く持ちます。そして、いつもの通り勤務に就いたところ、彼の作業着のツナギがなぜか見つからず、そのことで彼は解雇されたと思い会社を後にします。彼の居場所であった掲示板でも、「荒らし」や「なりすまし」が彼を絶望的にさせました。

彼はインターネットの掲示板でも、リアルな社会でも追い詰められていました。一人の人間として承認されることのない自分を実感していました。掲示板に自殺をほのめかして、応答を期待しましたが、応答はなく、自殺を引き止める人もいませんでした。彼は完全に見捨てられたと思いつめます。

六月六日、福井に行ってダガーナイフ二本、スローイングナイフ三本セット、ミニシールナイフ、特殊警棒を買う。
六月七日、ゲームソフトを売り、トラックのレンタル料をつくり、トラックを借りる。
六月八日、計画通り、昼からの歩行者天国が始まるのを待って、無差別殺傷を決行する……。

以上の経歴からも分かるように、Kは自分と、自分をとり巻く世界を終わらせるその直前まで、自分自身を自嘲していました。「親が書いた作文で賞を取り、親が書いた絵で賞を取り、親に無理やり勉強させられてたから勉強は完璧。……俺が描いた作文とかは全部親の検閲が入ってたっけ」

事件の四日前、携帯サイトの掲示板に書き込まれた彼の言葉です。

中島岳志は、次のように言っています（前掲『秋葉原事件』）。

――Kは人びとの心に自分を刻みたかった。自分に目を向けさせたい、自分のことを思ってほしかった。事件を起こして、自分の存在を他者の記憶に刻むことが彼の承認欲求だった。――

精神医学の専門家である斎藤環はアキハバラ事件を次のように分析しています。

現代の若者は「承認」のために働く。それは仕事仲間からの承認、ということだけではない。……就労していないことで仲間から承認が得られず、むろん異性からも受け入れられなくなってしまうことがヤバいのだ。逆に、たとえニートであっても、仲間さえいれば幸せに生きていける。

……現代の若者にとって重要な価値を帯びているのは「コミュニケーション」と「承認」である。
（前掲『承認をめぐる病』）

Kの母親は夫婦仲がうまくいっていなかったことから、「夫が毎日のように酒を飲んで帰るのが遅く、暴れたり、帰宅しないこともあり、私はイライラし、子供たちに八つ当たりすることがたびたびありました」と、述べています（二〇一〇年七月二七日、東京地方裁判所公判）。自分の欲求不満をいきおい子どもに強く向けることになっていたことを母親自身も自覚していたのでした。

『母親の孤独から回復する』（講談社選書メチエ、二〇一七年）の著者、村上靖彦は次のように言っています。

別の見方をすると、実は虐待に追い込まれた母親の回復において問題になっているのは虐待ではなく孤立であり、暴力やネグレクトを停止することが支援の表の目的ではあるとしても、本当のところは途切れた回路をつなぎ直すことが問われている。……自分や世界とのつながりを見出すことで、人はみずからの手で主体的に自分の人生を生きていくことができるようになる。

私自身の子育ての認識をふり返っても親子の関係は、後からふり返れば冷静に見つめ直すことが可能であるものの、問題に直面したときの親たちは、愛する子どもが思いのままにならないことにカッとしたり、親の望むいい子でない現実に失望して、つい冷静さを失う経験を、多少の違いはあれ味わったことがあると思います。子育てを終えた親たちの集まりで、笑いとともに述懐される話題です。子どもがある年齢に達するまでの親子は対等ではなく、親が一方的に子どもの世話をし、保護し、責任を持たされている立場にあるので、親は子どもが生まれたときから、もし自分が病気をしたり事故死したりしたら子どもはどうなるのだろう、という責任感情的な意識を持ちやすいので、それが支配欲に転じるのかもしれません。

さらに、子どもが何か問題を起こせば、日本社会はきまってそれを親の責任にして、親を批判します。

また、子どもよりも親は社会を知っているという意識が親にはあるので、子どもの将来のことを心配するあまり、先回りして過干渉になるのかもしれません。Kの母親は、Kが高校を卒業し、国立大学の工学部に入ることを目標にしていました。

育児とは大変な過程の連続です。確かに楽しいこと、幸せなこともあるけれど、どうしたらいいか、分からないことにもぶつかります。とくにはじめての子どもの場合、親はどこまで子どもにかかわっていいのか戸惑うことが多いのです。自由にさせたために、もし何かあったらと過剰な心配もします。自分の子ども時代を思い出して、自分の親に不満を持っていた親の不足する部分を、今度は自分が埋め合わせようと努力もしてみます。親として、自分の時間や欲望を犠牲にする大変な育児も、子どもに慕われ信頼されてこそ報われるのに、子どものために良かれと思ってしたことが、子どもにとっては抑圧であり虐待であったと知らされることは、母親にとっても大きなショックだったに違いありません。家庭から一歩外に出れば激しい競争社会が待ち受けていて、いったん〝負け組〟に入ると、そこから脱け出しにくい日本の競争社会の現実があります。子どもを〝勝ち組〟に入れたい親の立場が子育てを病的にする原因の一つかもしれません。私も初めて子どもの小学校の父母会に出席したとき、そのピリピリした空気に圧倒された記憶があります。

しかし、生殺与奪《せいさつよだつ》の権を親に握られている子どもの立場に立ってみれば、第一章のIさんの親子関係の例のように、子どもは、親に愛されたい、認められたい、褒められたい、という切実な感情を持っているだけに、親の束縛から容易に逃れられないでいるのではないでしょうか。反抗期に遭遇して、やっと親子は自由になれるというのも本当です。Kはなぜ中学生の反抗期のときに、親に反抗して自立への道を歩まなかったのか、その点では不思議です。家族という共同体は、保護され愛されると同時に、束縛され、管理される場であり、あるいは、理論と感情の混交している世界です。家族という小さな密室にこもりきりにならずに、社会とつながりやすい社会であれば、そしてさらに生まれたときから評価され、査定され、標準到達度をテストされ、他者と比べられる社会でなければ、親も、もっと気楽な気持ちで育児を楽しいと感じられたのではないかとも思います。Kの場合、すでに母親自身が孤独で排除されていた存在だったとは考えられないでしょうか。

子どもの権利条約の実践状況を審査する国連子どもの権利委員会から、日本の子どもは豊かな教育環境にあるのに、過激な競争社会であるために子どもの人格の最善の発展が奪われている、その点では、途上国の貧困ゆえに子どもの人格の発展が奪われていることと共通性を持つ、と指摘されていたことを思い出します。

戦前は、家制度の下で、子どもを立派に育て上げることが母親の役割とされていました。子どもが非行に走ると、それは母親のしつけが悪いからと親戚中から非難されました。ですから私の母も、世間体を気にして、世間から褒められる子どもであることを教育方針にしていたような気がします。幸いにも戦後、子どもに自ら望む人生を主張する自由が認められるようになり、個人の立場から出発するデモクラシー社会の到来に私たち世代は救われました。戦前は自分自身の欲望などもってのほかで、外側にある「国家社会」が教育勅語のようにすべてを支配していた時代に比べると、戦後、子どもの自由は大きくなりました。女は必ずしも貞淑でなくてもよく、かわいげにふるまわなくてもよくなりました。昔の親はよく女の子に「そんなことではお嫁さんにと、もらってくれる人がなくなる」と諭したものです。しかし、〝勝ち組〟至上主義という承認基準を持つ社会は、別の意味で生きにくい社会なのではないかと思います。一方では激しい競争社会で査定されつづけ、他方では自由の名のもとに個人はバラバラにされ、依るべきものを持っていません。昔、読んだエーリッヒ・フロムの『自由からの逃走』にあるようなナチスに(日本でいえばオウム真理教などに)よりどころを求める人びとがいるのもある一面では当然なのかもしれません。

次章では、承認という言葉の意味を掘り下げ、承認がなぜグローバル資本主義の社会的格差・排除に対するアイデンティティ闘争のキーワードになっているのか、さらに考えてみたいと思います。

第三章　「承認」という新しい概念がなぜ必要か

1　貧困と承認拒否という二つの病根

無差別殺人という悲劇がなぜ起こったか、いまもなお不明なことが多々あるなかで、あえて第二章に新宿西口バス放火事件とアキハバラ事件(拡大自殺的な他者への攻撃)を取り上げました。それは、この二つの事件が、現代社会の生み出す①貧困と、②承認拒否(社会的排除)という病根(宿痾《しゅくあ》)を如実に表していると思うからです。さらにこのような残酷な突発事件が起こったとき、社会はどのような反応をしたか、振り返ってみる必要があると考えました。

作家の中村文則はロシア文学者の亀山郁夫との対談で、アキハバラ事件や津久井やまゆり園事件の無差別殺傷事件について、次のように言っています。

人生がうまくいかないという悩みと自身が抱えるコンプレックスがあるんですが、それを解消するものが必ずしも殺人である必要はないんです。別のことで解決できたのに彼らは(殺人を)やってしまった……彼らの人生の本当の問題と、殺害というのは、全然結びついていなくて、……自分の現状からの「出口」のための犯罪に過ぎなかった。

(「ドストエフスキーと現代日本」『図書』二〇二二年二月号)

もしそうであれば、必然的な結びつきがないということは、他に選び取れるもう一つの道がある、という希望が残っていることになります。たとえば、自己責任だけを詰問する生きづらい社会ではなく、それぞれの人生の尊厳に対する社会的承認を、国も人もが自然に与え合う社会であれば、社会との接点も多様となり、孤立した人の暴発をつなぎ留められたかもしれない……。このような事件が起こらないようにする社会を望むなら、現実に起こった社会的課題を、忘れずに一つひとつ丁寧にほぐしていくしかないのではないか、そう思い続けています。

第二章で取り上げた二つの事件が、グローバル化した資本主義社会でいよいよ顕著になった①貧困と、②承認拒否(社会的排除)という病根に、どのようにかかわっているのか、あらためて振り返ってみました。

民主主義社会とは、個人の尊厳から出発し、個人が生存できないような貧困や排除があってはならない社会です。そして、それぞれの個人が平等に社会参加して、よりましな社会をつくっていくために承認し合う社会です。

新宿西口バス放火事件のMは、貧困の中で育ち、彼の存在そのものを無条件に認めていたはずの「やさしいお母さん」を二歳のときに亡くしました。

母親が亡くなった後、父親は子どもの人生における教育の意義をよく理解していなかったためか、学習に遅れがちのMに対して、学校教育を優先しようとは考えずに、農業の手伝いをさせていました。

小学校に入学して初めての遠足に、Mは欠席しています。子どもたちにとって初めての遠足は、わくわくする期待の遠足だったでしょう。Mにはお弁当をつくってくれる人がいなかったのではないか。遠足にふさわしくない破れた靴や服装を気にしたのではなかったか。先生はそういう彼に目をかけて、彼が人一倍、関心と知識を持っていた魚や鳥への探究心をそそる手助けをすることで学校への通学意欲を高めることができたのではないか……いろいろなことを想像します。

Mはやがて社会に出て、兄がいた岩国で建設労働者やとび職などの日雇労働者として働きます。しかし、彼の社会的地位は低く、ある日、酒に酔って同じアパートの他人の部屋に入り込んだことから、警察に逮捕され、精神科病院へ送られます（精神科医の斎藤環は、精神科病院に任意入院ではなく措置入院させられた場合、「精神障碍者」というレッテルを貼られ、それが心的外傷となってその後の人生にも、患者の人格にも悪い影響が残ることが多い、と言っています。津久井やまゆり園事件の被告の場合にもそれがあったのではなかったか、とも言っています（月刊『創』編集部編『開けられたパンドラの箱』創出版、二〇一八年））。

Mの場合も、精神科病院に入院してからいっそう人を避けるようになり、いっそう内向的になって、一人でポツンとしていることが多かった、と仲間たちは言います。Mはまもなく退院しますが、その後、彼は警察や役所から監視されているという妄想を抱き、その目を逃れるために岩国を離れ、働く場を転々とします。兄が岩国に帰ってくるように言っても、「体裁が悪い」「役所のえらい人にさからったので、役所の人が来るとオロオロする」と言っていました。「自分は頭が悪い」「学校を出てない」というコンプレックスを持っていた彼は、いつも無口で、愚痴を言わず、アルコール依存症などもなく、仕事を休まずにコツコツとまじめに働く孤独な存在でした。

彼が事件を起こした夏は、お盆休みに仕事がなくなり、次の仕事を見つけるため新宿に来てぶらついていたところを、彼の浮浪者風の風貌を見た通行人からバカにされて「ここにいちゃだめだ」「あっちに行け」「うるせえぞ」などと言われたり、安い宿泊所を通行人に聞くとわざと高い旅館を教えられてからかわれたり、デパートの地下階段で酔ってわめいていたら「そんな所で座ってちゃだめだ」と言われてゴミ同然に追い払われたり、ロッカーに入れておいた彼の持ち物がなくなっていたり……ということが重なって起こりました。我慢の糸が切れた彼は逆上して「自分だってやる気になれば何だってやれる」と抑えきれない感情を爆発させたのが、バス放火事件だった、と前述の福島鑑定書は、丁寧な証拠を積み重ねながら結論づけています。裁判でもこの丹念な鑑定書は裁判官の信頼を得て引用され、判決文が書かれました。しかし、Mは刑に服している途中のある日、自死します。

Mは、建設現場やとびの仕事で賃金を得て、目に見える形で自分の働きが役に立っていることに、一方では納得感を持っていたのではないでしょうか。「頭が悪い」「学校を出てない」という劣等感を持っていたにしても、コツコツ働くなかで自分の労働が役に立っているという生きる意味を感じていたのではないでしょうか。しかし、道行く人や店員から浴びせられた罵声は、彼の「人間の尊厳」を踏みにじりました。彼が世の中の役に立って生きているという承認された存在であることを、蔑視や罵声は覆したのです。どんな人間にとっても「人間の尊厳」を覆されることは、生きながら殺されることなのです。一九六一年からくり返されている大阪・西成区の釜ヶ崎(現・あいりん地区)の寄せ場で日雇労働者が起こした暴動も、はじめは警察官の「おまえら税金払わんと 文句ぬかすな」という暴言や、車にはねられた仲間が生きているのに、警察官がむしろをかぶせた、という態度がきっかけだったと伝えられています。

アキハバラ事件を起こしたKの家庭は、Mに比べると貧困ではありませんでした。しかし彼の母親は、偏差値が高い有名校に進学する「よくできる子」であることが、世間の承認基準に合致することだと思っていたようです。母親の思いどおりの人間にするために、子どものときからKに虐待ともいえる厳しいしつけをしました。

その時代にはその時代特有の誤った承認基準というものがあります。Kの母親は、社会の承認基準に何の疑問も抱かなかったのか。その基準に合わせることが本人の将来を思っての親の愛情だと思っていたのか。あるいは自分も夫も大卒ではないことを気にしていたのか。本人の意思にはおかまいなく、けいこ事や塾に通わせ、宿題に介入し、自由に友だちと遊ぶことも許しませんでした。Kにとっては常に指図され、自由のない精神的に飢餓感の強い子ども時代だったでしょう。

第二章に述べたように、彼が母親の支配に逆らうと、人間としての自尊心を粉々にするほどの罰が与えられました。かけがえのない人格を無条件に認めるという愛情を経験することができなかった彼は、自立の芽を摘み取られ、人間への信頼感を失って孤独でした。親からなぜ罰を受けるのか、その理由も基準も分からないままに彼は厳しい罰を受けたと言います。子どもにとって基準の分からない罰は、彼自身の判断力を異常にしたでしょうし、精神と身体を深く傷つけたでしょう。のちに彼が「自分がない」とくり返し口にしたように、自由の中でこそ知る自立の喜びや、生きている意味を実感することがないまま、彼は大人になったのではないかと思います。短大卒業後は非正規の職を転々としますが、そこでもモノ同然に、いつでも取り替え可能な人間として扱われている自分を感じていました。自分の生きる意味も価値も実感できないでいた彼は、しばしば自死を望み、試みます。自立した個人としての生活管理ができず、ローンや消費者金融の借金で苦しみました。

彼の人生を知るにつけ、私はかつてドイツの小学校の若い先生に出会って「あなたの教育の目的は何ですか」と聞いたことを思い出しました。彼女は何のためらいもなく、「それぞれの子どもが自分の価値に目覚めることです」と答えたのです。Kは、インターネットの掲示板への書き込みで知り合った人間関係に、人とのつながりを見出そうとしたようですが、そこでも彼は「なりすまし」にあい、自分を抹消されます。社会との生きた接点を持つことができなかった彼は、自分の存在を認めさせるため、無差別殺傷に突入したのではないかと、ある専門家は推察します。しかし、その真実については、彼の早すぎる死刑執行によって、知ることができません。

そのKは、二度、信頼できる人間関係を経験したことがありました。その一つは、彼が大型トラックの免許を取って、学校給食の牛乳配達の仕事をしていたときに、同じチームで居酒屋を経営しながら働いているFとの出会いです。あるときKは「Fさんはある意味、社長じゃないですか。うらやましいですよ。勝ち組ですよ」と言うと、「じゃあ、お前は将来、何やりたいの？」と問われ、「ゲームセンターをやりたい」と答えると、Fから、日ごろゲームセンターで大金を使っている自分(K)の甘さを本気で叱責され、F自身の苦しい生活を赤裸々に語ってくれたのです。Fは店を持ってはいるけれども、その店の経営が苦しく、家族を養うために未明から昼まで牛乳配達の仕事をし、睡眠時間を削って店の仕事をしていること、そうしなければ生活できないことなどを、Kに話して聞かせたのでした。Kはそれを聞いて「自分の考えが甘かった」としゃくりあげて泣き、それ以来、Fを慕ってさまざまのことを相談するようになります。Kは自分を一人の人格として認め、自分のために叱責してくれたFの言葉に心を揺さぶられ、敏感な感受性で受け止めたのでしょう。

もう一つは、Kが、借金を抱えたまま自死を考え、駐車場で車中泊をしていたときのことです。Kは自著『解』の中で、そのときのことを概ね次のように述べています。

——私はどうしたらいいのか分からなくなり、ぼんやりと、駐車場の中で寝ていればそのまま死ぬかも、などと考えていました。気づくと、駐車場の管理人が警察官を連れてきていて、その警察官に、何をしているのかと問われました。ごまかすこともできずに、自殺しようとしていると、そのまま答えたところ、「生きていればいいこともある」と言われ、私の心は凍りつきました。それは「(俺は何もしてやらないけれど)生きていればいいこともある(だろうから、ひとりで勝手に頑張れ)」ということだからです(ある本やメディアで、Kは警官からさとされて自殺を思いとどまったことになっているが事実はそうではない)。絶望していると、駐車場の管理人から、とりあえず駐車場から車を出すよう言われました。金が無い、と答えると、料金は年末までていいから、とも言われました。その瞬間、私は生きなくてはいけなくなりました。金銭の問題ではなく、私を信用してくれたその駐車場の管理人のために、その約束がある限り、孤独になっても、絶対に孤立はしません。自殺のことなど、一瞬で消えて無くなりました。――

こうしてKは自殺を思いとどまり、さっそく派遣会社に登録して、静岡の自動車会社に非正規で雇われ、その賃金で駐車場の管理人に借金を返しに行きます。しかし、やがて不況のため、その職場からも派遣切りを通告されたのです。彼の行為を「自分の存在を認めさせる拡大自殺的な他者への攻撃」と言った精神科医の言葉が思い出されます。

Kは『解』でこう述べています。

――社会的な死、孤立の恐怖は耐えがたく、それよりも肉体的な死の方がまだ救いがあると思えただけのことです。

人としてしてはいけない、という人は、プライドが高い人だと思われます。……しかし「自分」が無い私にはプライドは考えられません。

普通の人が持っている、してはいけないことを思いとどまる理由を私は持っていない。――

そのとき、私はまたそこで松田道雄の「子どもの時に自由空間の中で、自分が、自分の主人になるという自立の喜びを経験したことがない人は、大人になっても自立することができません」（前掲『自由を子どもに』）という言葉を思い出したのです。Kは『解』の中で、「社会との接点」という言葉を何度も何度もくり返しています。社会との接点をたくさん持っている普通の人と、自分のように持っていない人間との根本的な違いが、自死や犯罪を思いとどまるかどうかなのだ、と。

死刑囚の独房で「死刑囚表現展」に応募することが、唯一の生きがいだと言ったKの絵、詩・文章、巧妙に手の込んだパズルなどを『年報・死刑廃止2022　加藤智大さんの死刑執行』で見ることができます。その本の中で展示の審査にかかわった人びとはKについて――これまで他者を拒絶し、自嘲的で、被害者意識に凝り固まり、誰にも心をひらこうとしない、他者を全く信用、信頼しようとしない姿勢、他者に対するあくまでも挑戦的、あるいは時にはばかにしたような態度、屈折した他者に対する思いばかりが目についたKは、半端ではない孤独から、表現を通して他者に呼びかけ、他者と連帯しようとするKに変化しつつあった――といっています。社会からの排除と社会的承認の間を隔てていた扉が何かによってひらかれつつあり、もう少しで彼の心に社会的承認の世界、社会との生きた接点が見えてきたのかもしれないと、私も無念です。

貧困と承認拒否(社会的排除)という二つの不幸を、貧困という言葉(概念)の中に含める人もいるし、逆に、承認拒否(社会的排除)の中に貧困を含める人もいます。MもKも事件の直前にはこの二つの不幸が重なっているのですが、その基底には、Mには貧困が、Kには社会からの承認の欠乏が、より強く存在していたと思います。

ＬＧＢＴなどのマイノリティが求めて闘っている社会的承認は、物質的貧困とは異なる理由を持っていると考えられるので、貧困と承認拒否(社会的排除)という、それぞれの問題を、いちおう区分することにしました。というのは、貧困そのものが、すでに社会的排除の結果であると考えられることも事実ですが、他方では、貧困がある程度解決すれば、そこから自然に社会的包摂や社会参加も実現するのかといえば、必ずしもそうではないからです。

貧困の重大性が注目されるようになったのは、資本主義経済の中で生産力が飛躍的に増大したにもかかわらず、利潤優先の経済がさらに格差を拡大し、生存を維持できないような貧困層を増加させたという、否定できない事実があったからでした。その事実を前にして誰もが悟ったのは、次世代の子どもを育てるためにも、公衆衛生上も、犯罪予防上も、倫理的にも、人権を守るためにも、社会の治安を維持するためにも、資本家にとって優秀な人材・健康な労働者が必要であることからも、国家にとって健康で強い軍隊が必要であることからも、さらに民主主義福祉国家の看板からも、あらゆる意味で貧困を放任できないということでした。

貧困は、不衛生と病気、無知と精神の荒廃を引き起こす原因と考えられました。さらに現実の社会には、一方に使いきれないほどの富を持つ者があり、他方では餓死する人がいるという事実は、道徳的な人間の本性からも、同情心という理屈以前の心情からも、社会を維持する上からも、許されることではなかったのです。資本主義がもたらす貧困を、資本主義自身が自発的に修正する自浄能力を自己の内部に持つのでない限り、資本主義経済の過失は経済の外部の力(国家)によって修正されざるを得ませんでした。そのため所得の再分配によって貧困をなくすことは国家の使命となり、国民の支持を得る政策ともなったのです。

貧困の研究者である岩田正美の実態調査によれば、貧困をもたらす原因には、①学歴が低く、労働の世界に入っていく入り口で、すでにマイナスの条件を持っている、②倒産、離婚、または未婚で生活の定点となるものが失われている、③多重債務、疾病、会社の編成替え等での失業、または非正規を転々とするなかでの収入の低下、④派遣された会社の労働住宅に住み、職と住まいを一緒に失う、⑤社会保障でカバーされていない、などの多様な原因が絡み合っており、孤立化する社会のなかで、普通の人も貧困に陥りやすい社会になっている、と述べています（『現代の貧困』ちくま新書、二〇〇七年）。たしかに不安定な非正規労働者が四割にものぼり、産業構造の変化からフリーランスの人も多くなり、高齢化が進み、単身生活者が増えていくという社会的状況は、共同体の衰退した個人化社会の中で、今後も急速に進んでいくでしょう。

人は生まれながらに無条件に、その存在を承認されている個人です（人権自然権）。国民は憲法二五条第一項「すべて国民は、健康で文化的な最低限度の生活を営む権利を有する」によって、生存が危ぶまれるような貧困に対しては、その理由を問わず、生活保護法に基づいて衣食などの生活費や住宅や医療などの扶助を受けることができます。この人権としての生存権の源流は、一九一九年のドイツのワイマール憲法第一五一条第一項「経済生活の秩序は、すべての人に、人たるに値する生存を保障することを目指す正義の諸原則に適合するものでなければならない。各人の経済的自由は、この限界内においてこれを確保するものとする」にあることは広く知られていますが、しかしMは日本国憲法の二五条にも守られず、貧困の最後の砦である生活保護に守られることもありませんでした。

日本の社会保障制度は、自己申告制に拠っています。自分で申し出ない限りは捨て置かれます。それは福祉国家の限界ともいわれています。そうであれば、義務教育の中で、人生で出会うであろう病気や失業、経済的破綻と貧困などの生活の危機や、生存にかかわる重要問題に対応する社会制度について しっかりと教え学び、自己申告するための自分の言葉と方法を身に付けるような教育が必要です。

しかし、私の周りにいる人で、生活の困難に出くわしたとき、社会的な支援の制度があることを具体的に知っている人は多くありません。もし、自分が危機に陥った場合の対処方法を知らない人であっても、自分から調べてみようとする積極的な行動力や、他人に助けを求めることは恥ずかしいことではないという連帯意識がある人は、なんとか危機を乗り越えることができるでしょう。しかし日本人はなぜかそれらの積極性が弱いのではないかと思います。受動的にふるまうおとなしい人、出しゃばらない人、他人に迷惑をかけない人を、社会通念が承認してきたのではないかと思います。自己防衛本能は強いけれども、困難を抱えている人に声をかけ、手を差し伸べる人間としての連帯の文化が弱いのではないかと感じます。

Mは、生活保護の制度があることも、どうしたら扶助を受けられるかも、おそらく知らなかったでしょう。知っていても警察に留置されたときのことを「警察の人が恐かったよ」と言い、役所の人が来るとオロオロして岩国にいられない、と逃げまわっていましたから、とても自分で申告することなど、考えられなかったと思います。周りの人からバカにされた、おちょくられた、という劣等感も強かったから、なおさらのことです。だからといって、それを放っておくことは憲法二五条の精神に反し、生活保護の「仏(制度)つくって魂入れず」です。Mを侮蔑するのでなく彼を心配して事情を聴く人も、彼に助言する人もいなかったのでしょうか。

イギリスでもドイツでも、あらゆるところに公的な、あるいはボランティアの相談機関がありました。相談機関の事務所には専属の弁護士もいて、人道的な支援活動をしている市民団体には自治体が資金援助をしていると、事務所で働いている当事者から聞きました。公私の相談機関にかかわらずそこに駆け込めば相談に乗ってもらえ、本人だけではできないと見れば、申告の仕方を教え、さらに申告にも付き添います。あちこちにある教会でも、助けてくれる人が必ずいました。ホームレスを見かけると、たすきをかけた若い大学生や地域の市民が、二人一組になって話し相手になりながら、「今晩は冷えるから近くのシェルターに泊まるようにしましょう」と誘導しているのを見かけることもありました。クリスマスには、私も同行しましたが、一人暮らしの老人宅に、プレゼントを持った若者や看護師が訪問して、一緒に讃美歌を歌い、温かな料理をつくってあげて、一晩をともに過ごしていました。年末には自死する人が出ることがあるからだそうです。同じアパートの若者が失業したことを知って、それほど親しくもなかった他の部屋の母親が、子どもにスープを届けさせたり、毎週水曜日の夜には自分の部屋に招いてコンピュータの技術を教えたりしていました。

私が一九八〇年代にベルリンで滞在していたのは、外国人教師用のアパートでしたが、アパートの玄関の掲示板に、「次の日曜日にピクニックに行くので、一緒に行きたい人は朝九時に玄関に集まってください」という張り紙がしてありました。それは新しい入居者(私)のために、何人かの人が友だちになってあげたいと計画したピクニックだったのです。しばらくは、食料の買い物はあそこのマーケットがいいとか、駅のレストランは安くておいしいとか、いろいろ案内してくれました。あるとき、同じアパートの住人が、病院に入院して、二週間ほどで退院してきました。その翌日からアパートの人が交代で、リハビリのための散歩に付き添って歩いているのを一か月近く見かけました。八〇年代のベルリン郊外では、まだ、石炭ストーブが使われているアパートがありました。配達の車が来て石炭を下ろしていくと、それを老人の部屋まで運んであげていると、同じアパートに住む学生が普通のことのように言っていたことも忘れられません。

私がドイツに行くときに、日本でドイツ語を教えてくれた先生は、「何か困ったことがあったら Könnten Sie mir helfen?（助けていただけませんか）と言いなさい、ドイツ人は必ず助けてくれるから」と言いましたが、それは本当でした。私が長らくドイツで生活している日本人にそのことを話したら、「そうだね。日本人だったら見て見ぬふりをするだろうね。キリスト教の影響かなぁ。ここではたしかに知らぬふりして見過ごすことをしない、という文化があるね」「ヨーロッパではアジアより一足先にグローバルな資本主義の競争があったわけだけど、その裏側には必ず人権や人間らしい連帯の思想が生きていて、その両方のバランスが崩れかけると、市場主義に抵抗する市民活動も起こったから、アメリカや日本とは違っているかもしれないね」と自分の生活史を振り返りながら話してくれました。

個人の自立や競争はその裏側に、支え合うという人間の安全保障が一体となってあることをしみじみと感じました。

日本でも、NPO法人「自立生活サポートセンター・もやい」などのような民間のボランティア援助機関があり、そこで働く人たちには頭が下がります。しかし、その実績に対して、公的な資金援助がどれほどあるのでしょうか。会計が公開されているので見てみました。個人からも法人などからも、民間からの寄付はあるようでしたが、国や、自治体である東京都からの公的な助成は見当たりませんでした。

Mが働いていた事業所で、毎日、黙々と仕事をする建設労働者のMに、どこに泊まっているのか、どうやって暮らしているのか、独りぼっちなのかと、事務所の職員で声をかける人はいなかったのでしょうか。もし、相談に乗ってくれる人に出会っていれば、十分でなくても、暮らしに困り住むところもないときは生活保護の扶助を受け、仕事があるときは自立し……という人生の過ごし方もできたと思います。老いていけば、誰もが大なり小なり最後は社会福祉の世話になります。彼もそうなったでしょうし、それは、恥ずかしいことではありません。まじめに働いて個人の尊厳を心の底で守っていた彼が、それらを覆す侮蔑にカッとなって無差別殺人を起こすこともなかったのではないかと思います(生活保護は収入があるときは保護費の一部を辞退し、ないときはその復活をすることもできるので、自治体のケースワーカーはそういう仕組みを教えることになっています)。

新宿西口バス放火事件が起こったのは一九八〇年のことですが、それは日本の社会が一九七〇年代の一億総中流消費社会を経て、バブル期に突入する前の消費飽満の時代でした。今日欲しいものはその日にカードで買い、後で決済すればよかったので、我慢する必要もなかったといわれます。前述の鑑定書の福島章も「この事件は、経済成長の著しかった同時代にも、貧しさに喘《あえ》ぐ人がいるということを示したことで社会に大きなインパクトを与えた」と述べています。

2 生活保護と個人の尊厳

資本主義が生み出す貧困に対して、その対策のために各国は、貧困の客観的なデータが必要になりました。貧困に対する生活扶助の水準を決めるためにも、生計調査を必要としました。一九世紀ごろから貧困にかかわるいくつもの生計調査が行なわれています。海外では、F・M・イーデンの『貧民の状態』(一七九七年)、F・エンゲルスの『イギリスにおける労働者階級の状態』(一八四五年)、E・デュクペティオーの『ベルギー労働者階級の家計』(一八五五年)、エンゲル係数で有名なE・エンゲルの『ベルギー労働者家族の生活費』(一八九五年)、B・S・ラウントリーの『貧困・都市生活の研究』(一九〇一年)などが公刊されました。第一回国際統計会議(一八五三年)では貧困化する労働者の「貧困と死亡の自由」を看過できないとして、労働者の生計を国際的に集める提案が行なわれています。

日本でも、前田正名『興業意見』(一八八四年)、横山源之助『日本之下層社会』(一八九九年)、高野岩三郎の『東京ニ於ケル二十職工家計調査』(一九一六年)、内閣統計局の七二二〇世帯の「家計調査」(一九二六年)などが行なわれました(拙著『生活経済論』時潮社、一九八〇年。拙者『豊かさとは何か』岩波新書、一九八九年)。

民主主義は個人の人権を守ることから出発しているはずなのに、憲法二五条を受けて制定されたはずの生活保護法が、Mを助けることに全く役に立たなかったのはどうしてでしょうか。日本の生活保護の弱点は、保護を必要としている人に対する捕捉率が低い(保護を受けている世帯と同じように貧困な、あるいはそれ以下の生活をしていても、生活保護を受けていない世帯が多数存在している)ことで知られています。生活保護の保護率は定期的に調べられていますが、低所得あるいは無収入で生活保護を受ける資格があるのに、生活保護を受けていない人(世帯)がどれくらいあるのか、という生活保護の捕捉率については、わずかながら個人的な研究者の推計はあるものの、公的には全く調査されていません。民主党政権のとき、厚労省の「ナショナルミニマム研究会」(二〇〇九年一二月~二〇一〇年六月)の調査資料が提出されただけで、その推計によれば低所得世帯(要保護世帯)に対する被保護世帯の割合(捕捉率)は二割前後(資産を考慮せず所得だけを見た場合で一五~三〇%)だと推計されています。イギリスの「一六歳から年金年齢まで」の低所得者を対象としたインカムサポートの捕捉率は八八%(二〇一七~一八年)です(岩田正美『生活保護解体論』岩波書店、二〇二一年)。それと比べると、日本の政府が、いかに国民の貧困に無関心・冷淡であるかが分かります。

現実にはM以外にも、貧困にあえいで今日も助けを求めている人がいるでしょう。私たちは貧困に陥ったとき、蔑視されず、必要以上にプライバシーを侵害されず、どんな社会的承認を得ることができるのでしょうか。国家による貧困の最後の砦といわれる生活保護の、健康にして文化的な最低限度の生活とは、どんな生活なのでしょうか。

生活保護を受けるためにはいろいろな審査があって、その結果の要否判定を待たねばなりません。その審査では配偶者と三親等以内の親族に対して、扶養ができるかできないかの照会が行なわれます。それを「親族ぐるみの自助」と皮肉る学者もいますが、生活保護の申請を諦める人の理由の第一が親族に知られたくない、です。本人に隠された預金がないか、売却できる家具や車がないか、持ち物を調べられ、売ってもいくらにもならない家具を売るように言われたが、自分が結婚したとき、親がなけなしのお金で買ってくれたものだから、売るには忍びないので申請を取り下げたとか、働く能力についてプライバシーを侵害されたのが耐えられなかったとか、侮蔑的対応を取られたことで申請を取りやめた、という人もいます。

それでは、不正受給を防ぐための厳しい審査をパスして、いよいよ保護を受けられる場合に、最低生活を営むのに必要な衣食住などの経費・生活費とはいくらなのか、どのようにしてその金額が決まるのか、一般の人たちもぜひ知りたいところです。

一九四八〜六〇年には、生活に必要な品目を一つずつ積み上げて算出するマーケットバスケット方式(ラウントリー方式)が用いられましたが、その後、格差縮小方式(一般勤労世帯の平均賃金の六割)などいくつかの方式が採用されたあと、一九八四年からは現在の水準均衡方式が採用されています。

水準均衡方式とは、生活保護利用世帯を除く全世帯の年間収入を低い方から順に並べて、それを一〇分割し、その中で最も収入の低いグループ(第1・十分位)の消費支出とくらべ、それを超えない水準に、生活保護の扶助額を決定する方式です。その際、さらに全国消費実態調査(現・全国家計構造調査)の支出とも均衡がはかられています。

総務省統計局の家計調査年報(二〇二一年)の「年間収入十分位階級別一世帯当たり一か月間の収入と支出」の中の第1・十分位(最も収入の低い世帯)の消費支出を見ると、二人以上世帯(二・三八人)で、一七万二〇六四円です。生活保護の生活扶助基準額と比べるために、住居費を差し引いた金額で見ると、一五万九八三九円です(生活保護の住居費とは住居がない人に対して、扶助する家賃の基準額のことですが、家計調査年報の第1・十分位の住居費は、持ち家も含め、実際に住居のために支払った全国平均なので、住居費の定義も内容も違うため、住居費を除いて比較してみました)。

生活保護世帯と比べてみると、東京都の一級地(物価の高いところ)に住む二人世帯の生活扶助基準額は一二万三二三八円です。二人世帯といっても年齢や加算の有無によっても変わり、家計調査の世帯は収入以外に貯蓄などがありますが、生活保護世帯は原則として貯金がないので、厳密な意味では、同じ二人世帯でも、この二つを比べることは正確ではありません。しかし生活扶助での暮らしに対するイメージを、より具体化するために比べてみると、家計調査の第1・十分位よりも生活扶助の方が三万六六〇一円低くなっています。

生活保護の生活費の基準は地域別の物価などを勘案して定められているので、埼玉県の川島町という三級地の生活扶助基準額をみると、二人世帯で一〇万七三八八円です。生活扶助の基準額は年齢、世帯員の構成、居住地などによっても違い、それぞれ必要に応じて妊産婦加算、冬季加算、母子加算など九種類の加算手当や、医療扶助、教育扶助、出産扶助、介護扶助など生活扶助に加えて七種類の扶助が加算されるので単純に比べることはできないとしても、三級地ではさらに格差がひらいています。家計調査年報の最低所得グループと比べてもかなり低く、「働いていても食えないのに、働かない人間をなぜ食わせなければならないのか」「生活保護は怠け者をつくる」という古くからの誤った通念が、なお社会的に根強く存在していることを思わせます。参考のために、家計調査年報で一般世帯の中間となる第5・十分位の消費支出から住居費の一万七五八五円を差し引くと、二三万五二五八円となっています。

家計調査年報ではなく、現実に存在するある中間層の個人の家計収支を『婦人之友』の二〇二三年一月号で見てみました。生活費は約二六万八〇〇〇円(項目を調整)です。『婦人之友』は自由学園の創始者であった羽仁もと子が、家計を客観的科学的に記録することによって生活を見直し、家族のそれぞれが望んだ生き方を実現できるようにという考えで、一九〇四年以来、家計簿の実践を積み重ね、一二〇年に及ぶ歴史を持っています。家計簿を持ち寄っての勉強会も頻繁に行なわれていました(私の母も『婦人之友』の熱心な読者だったため、母が、家計簿の記録に向き合っているのを見て育ちました)。

前に述べた、エルンスト・エンゲル(一八二一〜九六年、社会統計学者・ザクセンの王立統計局長)は、『ベルギー労働者家族の生活費』(一八九五年)で、もっと明確に、家計調査の目的を次のようにいっています。

生産にかんしては、世界中で最も技量のある国民でありながら、同時に最もみすぼらしい国民であることもありうる。強力な国防力とともに国家の破産が起こる場合もある。最善の病院があるにもかかわらず、国民が貧困と窮乏のうちに病弱であることもありうる。……各国の経済力は物的生産量などで比較するのは無意味で、経済力を表わす真の指標は、それぞれの国民の生活水準、つまり福祉の測定としての生計費である。

生活は次世代の子どもが育つ場であることを考えると、生存の崖っぷちにいるにもかかわらず、生活保護の制度があることも、申請する方法も知らない人がいることを、そのまま放任しておいていいのか。自己申告制だからといって、寝た子を起こさない政策になっていてもいいのか。保護家庭を二割程度しか捕捉していない本音は、国民の人権も貧困も無視したい日本の政治姿勢を語っているのではないでしょうか。

一九八七年一〇月のことになりますが、Mの事件から七年後、荒川区で一人暮らしの七八歳の老女が、無理に生活保護を打ち切られて、自死しました。その遺書には福祉事務所の担当職員に対する大きな恨みが述べられていました。

あなたが死んでもかまわないと申された通り、私は死を選びました。満足でしょう。じぶんのお金でも下さるように福祉を断るなら今すぐ断りなさい。福祉は人を助けるのですか殺すのですか忘れられませんでした。……生と死の岐路に立ちましたが二度と生きて福祉を受けたくはありません。町田区長にも責任があると思います。部下のおーへいな態度、……もはや目が暗くなりました。

当時、私が荒川区の担当課長にそのいきさつを質問したところ、彼は淡々と「生活保護を受けるような人間なんて人間のクズですよ。あんな人が荒川区に住んでいたことが荒川区の不幸でした」と言って私を驚かせました。そしてさらに驚いたことに、この事件は、老女が生活保護を廃止されたために自死したのではなく、動脈硬化による病死だったということで処理されていたのです。そのことに対して、人権の立場から真実を求める市民(私もその一人)の真摯な調査と抗議が行なわれた結果、四年後には真実が明らかにされ、厚生大臣が病死とした誤りを謝って決着したのでした。荒川区では、その翌年の一九八八年一一月に日暮里で廃品回収をしていた当時七二歳の通称「やっさん」が、病気になって生活保護を受けたのですが、その際、働いていたときから万一に備えて貯めていた一八万円を、荒川区に強制的に没収されて、「首つり自殺」しています。

生活保護の事業は国の法定受託事務で、実施しているのは自治体であり、福祉事務所に所属するケースワーカーです。生活保護の仕事をするには社会福祉主事の資格が必要ですが、自治体によってはケースワーカーの半分か三分の一しか資格を持っていないところもあります。ケースワーカーの裁量が大きすぎて、憲法の二五条を逸脱して保護を受けたい人を排除している場合があることが研究者の間で議論されたこともありました。ケースワーカーもいろいろで、なかには生活保護開始の要否判断をする立場にいる者として、自己責任思想に同調する考えからか、被保護者を一段下に見る態度をとる人もいます。ケースワーカーが一人で担当する申請者の数が多すぎる（厚労省基準では、八〇世帯に一人）ということもあるのでしょうが、一人で一〇〇世帯以上を受け持っている自治体も多く、さらに新しい申請者の相談が加わり、対応するケースワーカーの数は大きく不足しています。生存に対する承認／承認拒否ということの意味を、憲法にさかのぼり、国も自治体もケースワーカーも考える必要があると思います。

生活保護行政のこのような態度は、厚生省が一九八一年に出したいわゆる一二三号通知（「生活保護の適正実施の推進について」）が原因だといわれます。不正受給を阻止するために新規申請者の調査を徹底させるということで、地方自治体に対する国の監査をより厳しくしました。その結果、一九七三年から八四年までの一二年にわたって約一九〜二〇万世帯で推移してきた生活保護開始件数が、八五年には一七万世帯台に、八六年には一六万世帯台に、八七年には一四万世帯台に、八八年には一三万世帯台に急速に減少したのです（日本弁護士連合会編『検証　日本の貧困と格差拡大』日本評論社、二〇〇〇年）。

たしかに厚労省の「被保護者調査」を見ても、一九八〇年には一・二二％であった保護率が九〇年には〇・八二％になっています。

先に述べた荒川区でも、一九八四年を一〇〇とすると八六年には五六・七にまで生活保護開始件数が下がっています。

こうして生活保護は、生存の最後の砦でありながら、何度も削減される危機に陥りました。国の生活保護費に対する補助率も、それまで八〇%であったものが一九八五年から七〇%に減り、八九年には七五%に復活し、二〇〇三年には国の負担率を六七%にする案が出されて、大きな反対が起こったため撤回されるなど、つねに削減の対象にされてきた歴史があります。

生活保護費を低額にしておきたい理由の一つは、もし保護費を高くすると、被保護者が就労したくなるように仕向けるためには保護費よりももっと高い賃金にしなければならなくなります。そのため、財界にも政府にも生活保護費を低額で押さえ込んでおきたいという要求が常にあります。自己責任思想がその隠《かく》れ蓑《みの》になっています。

しかし、低賃金で非人間的な労働を過労死するまでさせようとする圧力に対して、働く側が、生活保護を受けて命を守りたい、という要求を持つのは当然ではないでしょうか。労働者が生活保護という「生存選択権」を持つことによって、かろうじて労働条件の社会的悪化が防がれ、個人の尊厳が守られてもいるのです。生活保護を厳しく制限すれば、困窮した人は、高利貸から借金したり、いわゆる寄せ場の無法な日雇労働、ブラック企業、悪質な派遣労働、「闇バイト」や麻薬の売買などの犯罪に引き込まれるかもしれません。

コロナ禍のもとで、最も打撃を受けたのは、非正規であるために解雇されたり、働く時間が短縮された人たちや、サービス業種で収入が激減した人たちでした。しかし、それらの貧困者を助成するにもどうやって彼・彼女らを把握すればいいか、これまで貧困の実態調査とその政策を怠けてきた政府には分からなかったのです。結局、住民票がある人全員に一律一〇万円を給付するというバラマキになってしまいました。

民主主義福祉国家においては、あってはならない貧困に対する富の再分配が、多数の国民の間で合意されています。しかし、グローバルな自由主義市場経済は、競争至上主義によってその合意を揺るがしかねない勢いです。

現在、全国規模での生活保護費削減に対する訴訟が起こされています(いのちのとりで裁判)。生存権をめぐる承認に対しては、財界の要求と、財政の節約と、自己責任思想が複合して圧力をかけているのですが、「働いている者が食べられないのに、働かない者を、なぜ食べさせなければならないのか」という、貧困者同士の対立を煽ったり、親族ぐるみの自助を強制したりして、国民の「個人の尊厳」に対する規範意識が試されている状況です。

生活保護は生存の最後の砦といわれているので、所得の再分配の立場から、注目されています。しかし再分配は、生活保護制度の中だけで行なわれているわけではありません。税金をどのように課税し徴収するか、医療、教育、保育、介護、年金の制度などにも、再分配は深くかかわっています。

権力者が、「モリ・カケ・サクラ」事件、安倍元首相の国葬をめぐる議論など、国民の税金を使って法の趣旨に反する独裁的承認を、いとも安易に行なっている事実に、複雑な思いを抱く国民は少なくないのではないでしょうか(第五章で、権力を持つ者と持たない者との間で行なわれる相互承認について述べます)。

3　論争！　再分配か承認か

貧困についてのこれまでの文章を読んだ方は、人間らしい暮らしとは、「健康を維持するに足る衣食住の保障さえあればいい」ということだけではないはずだ、と感じられたのではないでしょうか。人間は誰もが衣食住の保障だけでなく、社会の一員として承認され（あるいは愛され）、社会の人間関係から排除されたくないという要求を持っています。その思いは「承認欲求の病」といわれるほど切実です。社会人である人間は他人からどう評価されているかによって、自分を再認識する心性を持っていますし、現代社会ではそれが社会的地位や報酬とも関係するので、なおさら他人からの承認を気にかけます。職場で承認されていないと感じると、自信を失ったり、仲間うちで嫉妬しあったり、失望して転退職したり、引きこもってしまう人もいます。「はじめに」で述べたように、承認拒否は社会からの排除に結びつくきっかけになりやすいのです。では誰がどのような基準で承認しているかということになると、一般には業績主義や成果主義によるといわれていても、何を業績とみるかによって評価はさまざまで、納得できる手続きや基準がはっきりしません。前時代からの習慣による場合もあるし、先天的な偏見や差別が秩序化してしまっていることもあります。資本家や権力者にとっては、平等よりも議論以前の差別的秩序の方が好都合なのかもしれません。

けれども、生活世界からみれば、再分配（貧困の是正）と承認（社会的包摂）という二つの柱は、社会を維持するために必要な二本の大きな柱であり、資本主義社会の欠陥を修正するにはどちらか一方(たとえば再分配だけ)で足りることはないのです。一方だけでは民主主義は成立しません。

資本主義社会が生み出す貧困と社会的排除という二つの欠陥のうち、再分配については、とくに第二次世界大戦後、貧困を放置すべきでないという社会的合意が高まり、再分配による貧困の克服は国民にも支持されて、民主主義福祉国家の正義だと認識されるようになりました。

生活保護のところで述べたように、今や貧困は特定の人だけでなく、一般の人も陥りやすい社会状況になっています。企業の合併、不採算部門の廃止、海外への工場の移転、ＡＩの導入、金融界の激変、技術の変化の速さ、非正規労働者が職と住まい(寮)を一度に失う、働く本人の長期の病気……。その原因はいろいろですが、個人の責任として処理しきれない貧困は、いつ、それぞれの人に襲いかかってくるか分かりません。貧困に陥ったとき、人は健全な判断力を失うという実例は枚挙にいとまがないほどです。

貧困の改善については、そのおおかたを物量や貨幣額の数字で計量化・可視化しやすいので、たとえば生活扶助にいくら必要か、低家賃の公営住宅がどれほど必要か、教育費には、医療には、再就職のための職業訓練には……というような対策を(政権にその気がありさえすれば)立てることが可能です。

さらに言えば、もともと生存権は、議論以前の基本的人権ですから、生産力の増進に最適な経済システムといわれる資本主義経済が、人間の生存を危うくする貧困を放置することは許されません。再分配は資本主義経済の持つ欠陥修正装置なのです。

ところが、グローバルな新自由主義市場経済は、国家統治をこえて競争による弱肉強食を推進し、社会正義に基づく再分配機能を侵食しつつあります。経済学者のミルトン・フリードマンが『ニューヨーク・タイムズ・マガジン』(一九七〇年九月一三日号)に寄稿したエッセイ「企業の社会的責任は、利潤を増やすことである」「企業を超えたコミュニティは我々の問題ではない」という、いわゆる「フリードマン・ドクトリン(株主資本主義)」を発表したそのとき、フリードマンの同調者は少なくありませんでした。それから五〇年を過ぎた今、二〇〇八年のリーマン・ショックや、気候変動問題などを経験して、株主資本主義は多くの修正を迫られました。株主資本主義をステークホルダー資本主義(株主だけでなく、従業員、顧客、コミュニティ、地球環境のすべてに配慮した経営)に置き換えることが要求されたのです。しかし、資本を雪だるま式に自己増殖させることが本望の企業にとって、フリードマン・ドクトリンへの郷愁は消え去ることがないようです。利潤を最大にするための要求は、一方的、恣意的な要求であっても承認されるのに、他方、マイノリティの人権にかかわる承認要求は、無視されるか拒否され、社会的排除はさまざまな形で放置されています。

財界側の恣意的な承認を示す企業のコンプライアンス違反はさらに続き、二〇二三年三月三〇日には、関西電力、中国電力、中部電力、九州電力がカルテルを結んだ問題で、独占禁止法違反に対する課徴金納付命令と、再発防止を求める排除措置命令が出されました。エネルギーの高騰にあえぐ消費者のことなど、寡占企業のCEOは念頭にないようです(関西電力が中心となって独禁法違反を行ないましたが、違反行為を最初に自主申告したため処分は免除)。

また、数万人の命や環境が影響を受ける、使用済み核燃料を再処理する日本原燃の再処理工場の審査で、ずさんな申請書の中から約三一〇〇ページにわたるミスが見つかりました。社内で規範無視の無責任が横行していることに驚きましたが、とくに驚かされたのは、原燃の増田尚宏社長が「私に対して何でも遠慮なく物を言える若手が今いるかといえば、本当に少ない」と話したことです(『朝日新聞』二〇二三年四月一五日)。日本の社会はジェンダーや障碍者に対する差別的排除だけでなく、個人のアイデンティティにも差別が適用されているのではないかと思いました。というのは、私が学生の推薦状を書くとき、必ず書かなければならなかったのは、「協調性に富む」でした。しかし、もし会社内で規範に反するコンプライアンス違反の行為が起こったとき、「協調性に富む」社員の誰がそれを諫め、過ちを社内で自浄できるのでしょうか。出世のため承認のネットワークから排除されたくない社員と、権力者の恣意的承認は、一体となって社会の規範意識さえ変えつつあるように思います。

さらに東京オリンピック・パラリンピック大会のスポンサー選定をめぐって、みなし公務員である組織委員会の理事に、紳士服大手ＡＯＫＩが五一〇〇万円、出版大手ＫＡＤＯＫＡＷＡが七六〇〇万円(六九〇〇万円?)、広告大手大広やＡＤＫホールディングスなどからも多額のわいろが贈られたことが明るみに出ました(二〇二三年四月二一日より順次、東京地裁で贈賄罪の有罪判決)。汚辱まみれの東京オリンピックだったといわれます。

短絡的に考えると、オレオレ詐欺に中学生や高校生が、アルバイト意識で参加したり、闇サイトのアルバイト求人に応募して、強盗・殺人の片棒をかついだりするのも、「儲けることの何が悪い、労働市場での求人需要に応じたまでじゃないか」という感覚でいるのではないかと想像します。

経済格差に対処する再分配と、社会的排除をめぐる承認の問題をテーマにした本に、『再配分か承認か?』(ナンシー・フレイザー、アクセル・ホネット、加藤泰史監訳、法政大学出版局、二〇一二年)があります。論争の形式をとっているため、著者の見解を体系的に述べた論文や著作とは違い、読者にとっては正確に理解しにくいところがありますが、現代社会の持つ社会的排除と経済格差(貧困)という二つのキー概念の関係を、正面から取り上げた論争です。

両者とも資本主義市場経済の欠陥を是正するため、再分配と公正な承認が必要であるという点では、一致した考えを持っています。さらに、現在、グローバルな資本が富の増殖という画一的な価値観を引っ提げて国境を越え、それぞれの地域コミュニティの独特な文化や地産地消の生活、個人のアイデンティティを壊し、再分配という国家統制を衰退させようとしていることについても、両者の認識は同じです。さらに現在は富の再分配よりも、承認をめぐる闘争の方が、闘争の主流になっており、これまで分配を中心に置いていた社会正義は、承認の政治という第二の社会正義に直面している、という共通の考えも持っています。

にもかかわらず、両者の違いは、以下の点にあります。

まず、社会学者で、フェミニズムの研究者であるフレイザーは次のように主張します。

——社会における性差別が女性に対する低い地位および蔑視を生み、経済の再分配を妨害している。その結果、経済的な差別によって、女性の社会参加は一層困難になった。性差別を当然とする承認は、同性愛者や人種差別や障碍者差別にもひろがり、法的に平等な人間としての社会参加を妨害している。経済的再分配政策は、マイノリティの平等な社会参加を進める基盤として、最重要な政策であることは言うまでもない。

しかし、公共の場での十分な討論もなく、先天的に信じられている差別意識は、資本主義経済の搾取とも容易に結びつき、あらゆるところに、議論なき不平等が発生する原因となっている。搾取理論は今や承認理論に席を譲った。

さらに大きな問題は、仮にもし、所得の再分配が有為な水準で行なわれたとしても、性や人種、障碍者や非正規労働者などに対する差別意識は是正されないだろう、という事実である。先天的ともいえる差別意識は、すでに社会秩序として根づいており、習慣や社会通念や文化を通してマイノリティを抑圧している。経済格差の平等化が進んでも、別の次元から発生している差別意識を解消する結果にはつながっていない。所得の再分配政策と公平な社会的承認は平等を高めることに資してはいるが、一方を他方が代替することはできない。経済格差と社会的排除はそれぞれ別の源から出ているので、その源に即してそれぞれの対策が考えられなければならない。差別意識は経済的利害と絡んでいることが多いが、論理的、計量的に説明できにくいため、貧困の場合のように分かりやすく説明することが困難である。もし、ある企業が形式的に平等な職業募集を行なったとしても、実際に、どの地位に誰がいるかを確かめてみると、差別が解消されているとはいえない事実がある。

社会参加がすべての市民に平等にひらかれるためには、その実現の過程が透明な公共的討論を通して対話的に行なわれ、決定もまた、一方的でなく対話的に行なわれる必要がある。そのプロセスがうやむやになると、参加の平等は難しい。

社会参加を拒絶されることは、ある種の人間を他の人間たちと同等の敬意や尊重に値しない存在だとみることであり、その差別は法律、社会福祉、医療、大衆文化などの領域のすべてで様式化されてしまっている。参加の平等とは、再分配と承認の両者を包括する社会的公正の制度である。

——

以上が、フレイザー対ホネットの論争から私が汲み取ったフレイザーの主張です。

日本の社会でも、性差別はかなり前から大きな問題となり、討論されているテーマです。そして、フレイザーの言うように、経済格差、貧困の問題が所得の再分配によってある程度は是正されたとしても、それによってジェンダー問題やLGBT差別や人種問題や夫婦別姓、非正規労働者に対する差別意識はなかなかなくならないと思われます。日本では、個人のアイデンティティ差別まであります。

国も、電力会社や日本原燃のような大企業までもが、法律違反を隠蔽する能力を持つ個人を採用し、法を犯したとしても企業内自浄作用が働かないような組織になっていることが問題なのです。会社ぐるみの法律違反を内部告発するような良心的で毅然とした社員に対する排除は、これからも続くでしょう。それは誰が何を承認するかという承認基準の問題であり、その基準意識をつくり出す政治・経済の問題であり、社会通念や文化の問題なので、経済が豊かになっても、人びとの社会的正義に対する関心が強くなるわけではありません(この点についてはあとで述べます)。日本の選挙の投票率を見てもそのことは歴然としています。政治学者の藤田省三は、日本は便利と安楽を求める「「安楽」への全体主義」国家だ、と言いました(古くはマルクスが『経済学批判序説』で述べているように、生産力が低く、みなが共同体の一員としてしか生きていけなかった時代と違って、生産力が高くなり、貨幣経済が発達すると、個人は共同体から独立しても生きていけるようになるため、社会的動物であるはずの個人はバラバラになり、自分が所属している社会のことにも無関心になる)。個人と社会との関係が市場での売買に集約されている社会では、その背後に存在する人間関係が見えにくくなっているのです。

貧困と排除という二つの宿痾は別の源から出ているという、フレイザーの二元論は、日本でも見られる現象です。しかしそれが資本主義社会にとくに先鋭的に表れるのか、本源的に二元的なものなのか、具体的な実例を通して、さらに調査してみる必要があるのではないかと思います。たとえば日本の場合、本章で取り上げた生活保護問題についていえば、生活保護法に基づいた審査の結果、妥当として生活保護を開始していながら、他方で生活保護を受ける人びとを貶《おとし》めるような発言をする政治家や行政の担当者が跡を絶ちません。生活保護に対する世論の誤解などについては、政府が生活保護法の趣旨を説明し、その受給は国民の権利であることを公告し、受給者は公正な審査にパスしていることを説明すれば、国民に理解されることではないでしょうか。

しかし、政府や行政は誤解を訂正するような積極的情報活動をするよりも、現在、全国的に裁判で争われている生活保護費の減額に熱心なようです。また、首相が強調するのは自己責任の思想です。

学校教育の中で、誰もが人権を持つ平等な存在であること、ヘイトスピーチやホームレスへの侮蔑や暴力は人権の侵害であること、人種・国籍などは本人が生まれたときにすでに決定されている所与条件であり本人の努力や責任問題ではないこと、もし自分が差別を受けたとき、どのような気持ちになるかなどを、日ごろから教育のテーマとして討論し合っていることが当然なのではないでしょうか。難民や移民と生活を共にしている国々では、早くから学校教育だけでなく社会教育や、メディアの論説としてこれらのことが日常化しています。ドイツで差別という言葉は、水戸黄門の印籠《いんろう》よりも敏感な言葉だと聞いたことがありました。

ある日、ドイツの地下鉄で乗り合わせた警官が私にカバンの中を開けて見せるように言ったとき、とっさに「私だけ差別されている」と言ってみました。そうしたら周りの人たちが私をかばうように座席に座っていた人も立ち上がって、口々に警官に説明を求めたのです。驚きました。当時、東ドイツからのたばこの密売の取り締まりの一環でカバンが大きい他の人にも求めている、という警官の弁解でした。

障碍者や貧しい高齢者や他国籍の人に対する排除と包摂について、この出来事の後もずっと考えさせられています。もし、フレイザーが言うように差別が二元的なものだとしたら、教育だけでなく日常の行動や文学作品や演劇や、音楽や美術などのあらゆる表現活動の中で、人びとに差別意識の源泉や理由を問いかけることも必要ではないかと思います。まずそれらの社会的実践をやってみることが、二元論への答えになるのではないかと思います。フレイザーの主張は、討論の中で具体的な例示が極めて少ないので、私は正確にその主張を理解しきれていないかもしれません。フレイザーが強調する平等な社会参加によって、何が変わり、何を実現できるのか、社会的正義(共通善)にとって何がプラスされるのか、具体例を通しての調査と解明が必要だと思いました。

さて、次にフレイザーに対するホネットの論を見ることにしましょう。ここでも討論ゆえの分かりにくさがありますが、私の視点で整理してみます。

哲学者であり社会科学者でもあるホネットは次のように言います。

――資本主義社会を全体として把握する二つの根本的なカテゴリーは承認と再分配であり、資本主義社会で起こっているさまざまな紛争を分析するには、承認と再分配という二つのカテゴリーで分析するのが最も有効である。――

ホネットはフレイザーの二元論に対しては部分的に同意もしていますが、基本的には一元論なのではないかと思われます。

――再分配が行なわれるといっても、それは再分配に先立つ承認があるからであって、再分配の方法には、(税や、社会保障や、教育補助や、住宅補助や、ベーシックインカムなどの)さまざまな方法とその組み合わせがある。どのような再分配を国家や自治体が実施するかについては、(専門家の委員会で意見を聞いたり、議会の討議を経たり、市民の声を直接に聴いたり、というような)公共の場での討議を通して相互承認が行なわれ、市民の同意が得られなければならない。再分配と承認という二つの実領域は、一元化できる。

資本主義経済は搾取という不正義な経済構造がもたらす不均衡な富の分配を、再分配という経済構造の再編によって解決しようと試みた。

他方、承認は、法の下に平等であるはずの人権(人格権)の毀損《きそん》に対する人格権の回復を求める異議申し立ての闘争である(たとえばＬＧＢＴ差別や人種問題)。人格権とは、社会に参加する平等な権利を持ち、誤った社会的承認基準に服従しないがゆえに排除と差別の冷遇を受けないことであり、自己のアイデンティティを毀損されない権利である。――

そのうえで、ホネットは承認が社会的に持っている意味を、以下のように整理しています。

一　承認は社会の規範意識であり、あらゆる社会統合は承認の仕方に依存している。

二　承認とは市民が社会に参加する中で、価値観をもう一度問い直す理念である。目先の判断でなく、長い将来への視点で普遍性と照らし合わせて価値観を問い直す行為である。

三　社会の変化・展開に目を配りながら社会的承認の妥当性を問い直すことで、社会的統合の質を向上させる役割も果たしてきた。

四　人は承認されることで自己実現を果たし、自分の人格のアイデンティティを成就させることができる。

人格のアイデンティティは、他者によって承認されることではじめて成立する。個人が自己を形成するには、自己肯定だけでなく自己を肯定する他者を必要とする。自分自身では気が付かなかった能力を他者から発見されることで、自己肯定感がさらに高められることもある。承認を拒否されると自己のアイデンティティが歪められ人格が毀損されるというだけでなく、社会的な排除を受けたと感じる人が多い。

マイノリティは承認拒否に正当な理由がないと感じると、反転して承認をめぐる闘争を起こし、それが従来の制度化された承認基準を変革する社会運動となる(たとえば第四章に述べる障碍者問題や不登校問題)。

近代資本主義社会の社会統合の基盤には三つの承認原理がおかれている。

- 親子・家族間の自然な愛情や慈しみの感情など。
- 法的な制度(愛情というような自然の感情にはリスクも含まれるので、相互的な愛情や慈しみを純粋に実践することから起こりうる危険を予防し補完するための外的な法規制、あるいは道徳的な規範としての法規制)。

・業績による承認(業績による承認は封建制度の下での身分や権威による承認を解体させた、客観的な承認原理である。しかし、社会の構成員による社会的貢献を業績という枠組みだけで評価できるかという問題が残る。人権や平和、地球環境への貢献などの共通善への貢献は評価されにくい。人間の能力という根源的な問題とも関連する)。

社会の一員である市民は、人間の本性として相互承認という潜在能力を持っている。その能力は人間の自然から出てくるのではなく、人間関係から出てくる特殊な能力である。その精神構造にしたがって、人びとは社会の中に組み込まれ、そのメカニズムを通して自己自身を再確認することができる。

もし、社会が時代の偏見に基づく一つの支配的文化的価値パターンによって異質なものを排除するとすれば、承認という言葉が持つ属性(公正であり、真実であると認めること)とは、相反する社会になる。単一の価値のパターンに支配されているメディアのステレオタイプの描写で社会的に誤解を広げた事件や、ある人の人格を毀損した事件は跡を絶たない。

公共圏や審議会からの排除(たとえば日本学術会議の新会員候補者に対する任命拒否。貧困に対する軽蔑などは自由な討議を介して行なわれるわけではなく、硬直化した社会制度の偏見から生まれる。同性間の結婚、シングルマザーへの特別視、人種的偏見、痩せているのがいい、速くやり上げるのがいい、効率がいいのがいい、金メダルがいい、一番だけに価値がある、非正規労働者は一段劣った労働者である、生活保護の受給者は社会の逸脱者・たかり・非納税者・借金ナシの公金取得者……というようなかずかずの誤承認が横行して、社会的統合を分裂させる)。

しかし承認は社会的排除の理念ではなく、社会的包摂と統合の理念なのである。人びとは平等に社会に参加し、社会的相互行為に参加する。

社会生活において、人びとは同等の参加のチャンスが与えられるそのことによって、アイデンティティを形成する可能性を広げ、社会的承認を受けるに値する人となる。近代社会にとって、社会的平等の目的は社会構成員全員の人格的アイデンティティの形成を可能にすることにある。平等に取り扱われるという本来の目的は個人の自己実現を可能にすることにある。

アイデンティティが形成される前提には相互承認という関係が必要で、そのまた前提には、ひらかれた平等な社会参加が重要な意味を持つ。相互承認し合う他人との出会いが多ければ多いほど、個人の承認基準は一般性を持つものに質的転換をする。社会参加が妨げられると、その貴重な経験ができない。相互承認とは相互に尊敬を持ち、補い合うという合意である。

(余談を言えば、相互承認が一般的承認基準となっていく過程が、物々交換から貨幣が出てきて一般的価値の表象となっていくことに類似していることに、私は驚きを覚える――資本論の価値形態論。)

以上が、ホネットの主張の要約です。

ホネットは、個人の人格の完成(アイデンティティの成就)と社会的承認とが結びついていることをくり返し論じていますが、彼の主張を理解するためにはホネットが書いた前掲『承認をめぐる闘争』を合わせ読むとさらに理解しやすくなります。その中で彼は、承認という概念を哲学・政治学の中にはじめて取り上げたヘーゲルに言及して、ヘーゲルがマキャベリやホッブズのいう利己心による敵対的な競合や、万人の万人に対する戦いを十分に肯定したうえで、さらにその奥にある相互承認の概念に到達していることを高く評価しています。そして、ホネットはヘーゲルの概念をさらに発展させて次のようにいうのです。

「人間の精神構造には、相互承認という人間相互の関係性が埋め込まれている。相互承認は人間の持つ潜在的能力で、人は生まれながらに相互承認の中で生きているのだ」と。

考えてみれば、親子関係も家族や友人との関係も相互承認の原型であり、自立した市民社会の、市場での交換も所有者同士の相互承認が前提になっています。ヘーゲル研究者は『精神現象学』の中の領主と農奴の関係を、闘争に破れた結果の支配と服従の関係とみなす人が多いようです。けれども、その内実を相互承認の関係で捉えると、支配者とみなされている領主は農奴の働きなしには、何もつくれない、農業の技術を知っているのは農奴の方で、経験の蓄積も農奴にある、という対等性が浮かび上がってきます。万人の万人に対する闘争に新しい解釈を行なって、その根源には、紛争を通してさまざまな緊張に解決を与えていく潜在能力としての相互承認があることをヘーゲルもホネットも見抜いていたのではないかと思われるのです。今でいうウィンウィンの関係だともいえるのでしょうが、ヘーゲルやホネットのいう相互承認にはもっと深い意味があり、人間の自己実現とアイデンティティは、相互承認の過程の中でつくられ成就していくのだと考えているようです。

人間の相互関係は、争いのくり返しでもあるが、その経験の中で人間は自分と相手の譲れないアイデンティティの一面を知り、それがまた相互に人間のアイデンティティを育てていく過程ともなって、紛争もまた個性の差異と和解と妥協のさまざまな局面を持つ自己発見の一段階であると考えるのです。

近代社会が要請する「アイデンティティを持つ人格」は、差異を含む相互承認の中からつくられるのであり、その個性が連帯して共通善——社会福祉、環境保護、人権と自由——を承認することになるのではないか。その承認は上から一方的につくられた資本や権力者に都合がいい承認基準ではなく、議会の多数決で暴力的に決められた法律でもなく、個人から出発し、個人の自己実現を助け、アイデンティティの形成を助け、現実の実践を通して社会を緩やかに統合し、排除せずに人びとを包摂する理念となる、というのがホネットの考えであると私は理解しました。ホネットはこれらの考え方や解釈は理論だけではなく、実践活動の中で証明されてきた人間にとっての根源的な行為であると結論づけています。たしかに実践活動なくしては、このような承認論は生まれなかったでしょう。

ここで立ちどまって考えたいことは、フレイザーとホネットが、声をそろえてくり返した「承認の前提である個人の社会参加」について、なぜか日本人はそれを重要なものとして、強く意識していないように思えるのです。個人の社会参加は民主主義の基本であるにもかかわらず。

第四章では、民主主義にとって承認が持つ意味を再考し、その前提として、個人の社会参加がなぜ重要か、どんな意味を持つのか、民主主義の未来のために承認がなぜキーワードになるのか、いくつかの事例とともに考えます。

第四章　社会参加のない民主主義はない

理論編

「誤った承認」の背後にあるもの

1　社会参加の欠如した民主主義は可能か

貧困によって、あるいは差別や偏見によって、社会から排除されるようなことがあってはならない、ということは、民主主義社会の原則です。

所与の社会(国)に生まれ、いわゆる国籍を与えられ、住民登録をして、社会とのつながりの中で、社会とやり取りをしながら人生を全うするのは、自然で当然のことです。それができないことの方が異常です。第三章でフレイザーが一例として取り上げたジェンダー差別はもちろんのこと、孤独な人、障碍を持っている人、貧困に陥った人、介護の必要な高齢者、難病の患者、失業者、被災者など、自己責任という言葉が当てはまらない困難を抱えた人が、世の中にはたくさんいます。自分がいつ、その一人になるか、明日のことは分かりません。そういう人たちが社会から排除されることがないように、社会人の一人として制度だけでなく人間や自然との関係の中に守られていることが、民主主義社会ではないでしょうか。

人はそれぞれにみな違っているからこそお互いに知り合い、自分の考えや感情を伝え合い、共通する生活の福祉について、話し合うのではないでしょうか。社会参加とは、そのチャンスを提供されることなのです。誰もが平等に参加できるように、周りの条件を整える社会こそが、個人の人権を尊重する民主主義社会です。たとえ、生活保護の制度があっても、生活扶助費の受給と同時に蔑視が与えられ、社会参加が妨げられるようでは二律背反となり、憲法に保障された生活保護制度の精神は台無しになります。

けれども、日本では、社会参加の重要性がどの程度自覚されているのでしょうか。社会参加の代表ともいわれる選挙の投票率が低いことを知っていながら、多くの人が最も重要な社会参加のチャンスを有効に活用しようとはしません。選挙の意味を真剣に考えて民主主義を健全化しようとしている人は投票率から見れば、半分にも満たないのです。

日本社会の「誤った承認」の背後には、社会参加意識に問題があるのではないか——、そう考えた私は改めて統計調査を見直してみました。

個人の社会参加が統計調査の項目に登場するようになったのは一九七〇年代前後からのようです。そのころから、生活の全体像を把握するためには、国民所得はもちろんのこと、消費実態調査や家計調査などの世帯の収入や消費を貨幣額で見るだけでは足りない、という批判が大きくなっていきました。

経済成長に付随して起きる空気や河川・海水の汚染、都市化による騒音、交通事故などの損失、公害による自然破壊が人間の健康や動植物の生存に与える損害など、現実に存在しているにもかかわらず国民所得という貨幣指標では、それらがマイナスとして算入されていません。さらに家事労働やボランティアなどの無償労働がプラスに算入されていません。国民所得は社会の実態を反映していないではないか、と、統計学者や市民の間から大きな批判が沸き起こったのです。

それに応えて経済審議会はNNW(Net National Welfare＝国民福祉指標)で、それら市場外の損得を擬制的に貨幣額で試算する国民所得の修正版「新しい福祉指標」(一九七三年)を公表しました。しかし、「NNW開発委員会報告」自体が述べているように、それらはあくまでも擬制的に貨幣試算されることが可能な範囲での研究途上の指標であり、社会の実態は、非貨幣的社会指標や世論調査などを併用して分析するほかはない、という位置づけでした。

けれども国・地方自治体の行政は、貨幣も非貨幣も含めた生活という全体性を持つ人間の営みを対象とするのですから、その全体性を把握しなければ、適切な政策を立てることができません。そのためには、貨幣的指標と並ぶ非貨幣的指標をつくる必要がありました。生活にとって最も必要な条件は、言うまでもなく経済的な安定です。しかし、家計調査から収入や消費の経済的なデータを得られたとしても、人びとの持つ生活の安心感や充足感が何に由来するのか、あるいは不安感や危機感は所得さえ増えれば解決するのか、肝心のことを知ることができません。たとえば、経済的に安定していても、公害によって命の危険にさらされたり、経済の効率のために過労死が頻発したり、情報の独立性が失われて市民が真実を判断できない、あるいは、公衆衛生が劣悪であったり、孤立による自死が増えるなど、治安と犯罪まで含めれば、高度経済成長下で生活の福祉が増進したとはいえない現実があります。

生活という全体性からみれば、経済は基礎的な条件ではありますが、十分条件ではありません。そのため、経済成長のデータだけでなく、生活の全体性からみた生活の福祉指標と、生活を取り巻く社会指標が求められるようになったのです。そして、その指標の一つとして登場したのが個人と社会をつなぐ「社会参加活動」でした。そう考えると「社会参加」が新しく指標の項目となったことには、大きな意味がありそうです。第三章でも触れたように、社会参加は民主的な相互承認の前提でもあるからです。

日本の戦後社会を振り返れば、一九四五年、敗戦にいたる無謀な戦争のために、衣食住の絶対的欠乏にあえいだ日本は、一九五〇年には、まず食糧事情がいちおう飢え死にのレベルから解放され、五五年には衣服の欠乏も解消し、その後は各家庭に家電製品が普及して、五六年には、「もはや戦後ではない」といわれる生活水準の回復が見られました。

しかし、一九六〇、七〇年代の貨幣額から見た経済成長がめざましかったその裏では、公害（メチル水銀流出による水俣病、カドミウムの神通川流出によるイタイイタイ病、PCBによる食品公害など）が多発し、生活基盤が整わないままの都市化（通勤難、交通事故、騒音、違法建築による乱開発など）、薬害（サリドマイド、体に害を与える農薬、食品添加物など）、工場排水による海水の汚染、がけ崩れ、個人の人権の軽視、価値観の多様性の否定など、国民の生活にはさまざまのマイナスが襲いかかりました。

経済成長のプラスとマイナスを経験した国民は、経済成長一辺倒の情報と経済政策を批判し、貨幣指標では把握できない生活および社会福祉を測定する指標を求めたのです。そして、その指標を用いた新しい調査結果を求めました。

『国民生活審議会総合政策部会調査委員会報告　ＰＬＩ――豊かさを測る新たな視点』(一九九二年)は、戦後を振り返り、次のように述べています。

総理府の「国民生活に関する世論調査」によると、一九七〇年代なかば頃から、「物の豊かさ」信仰がゆらぎ始め、……八〇年には「心の豊かさ」に力点を置く傾向がはっきりした。……これまで国民は、企業や国を発展させれば、個々人にもその恩恵がまわってきて豊かになれるということを信じて努力してきた。けれども、企業や国の発展が必ずしもストレートに個人の豊かさにつながらない状態である。……個々人の生活充実をまず優先し、それがひいては国や社会の発展にもつながるとする発想転換が求められている。そのためにも、従来の社会指標を個人生活の充実という視点から見直す必要にせまられている。

国民生活審議会は右に挙げた報告に先立つ一九八五年に、『国民生活指標――ＮＳＩ(New Social Indicators)』を公表しており、一五ページを費やした第一章には、次のように記されています。

経済の発展・成長は……繁栄をもたらした反面、我が国の経済社会に次のような歪みをもたらした。

第一は大気、水、土壌の汚染、自然環境の破壊などが進んだことであり、……第二に急速な経済成長の中で……住宅や生活環境施設などの整備が相対的に立遅れ、生活の質的な側面がなおざりにされ勝ちであった……第三は消費者物価の上昇、地価の高騰が国民生活を不安定なものにした。これらの経済成長がもたらした歪みは、従来の経済指標のみでは十分に測定され得ず、経済指標のみに依存することの限界が強く意識されるようになった。……「くたばれＧＮＰ」というようなキャッチフレーズに代表されるように……経済指標だけでなく、非経済的な指標にも政策指標としての地位を回復させるべきであるとの要求となってあらわれることとなった。

このような経緯から「社会あるいは国民生活の諸側面の状態を、経済指標以外に非貨幣的指標をも用いて包括的かつ体系的に測定する統計指標」が以下のように作成されることになったのです。国民生活審議会はさまざまな議論を重ねて、一〇の社会目標分野を設定し、生活領域の分類は、⑴健康、⑵環境と安全、⑶経済的安定、⑷家庭生活、⑸勤労生活、⑹学校生活、⑺地域・社会活動、⑻学習・文化活動、の八つの生活領域で構成されました。この⑺の地域・社会活動は、さらに　社会参加活動、消費者運動、住民運動、政治活動、宗教活動、祭り、隣人関係の概念によって構成されています。

これらの流れは、国連の経済社会理事会が、社会開発と経済開発の均衡を重要視し、社会開発と経済開発の究極の目的は人間の幸福にあるとして、その視点からの作業を事務局に要請したことも影響したと思われます(国際連合経済社会局編『世界の経済開発と社会開発』厚生省大臣官房企画室訳、原書房、一九六四年)。経済開発の直接の目的が生産および所得の増大であるのに対して、ここでいう社会開発とは、直接人間の能力と福祉の向上を図るもの、とされています。

日本でも、住民と直接に接する地方自治体が、社会指標、福祉指標、生活指標の名前で新しい指標の作成に大きく取り組むようになったことは必然といえます。たとえば『(新版)社会指標——暮らし良さの物さし』(国民生活審議会生活の質委員会、一九七九年)を見ると、四七都道府県のうち三九の都道府県で新しく社会指標の作成が行なわれ、静岡県、滋賀県と香川県の指標の中には「社会参加」の項目が、神奈川県では「社会連帯」の項目が、設けられています。

環境を破壊して、水俣病やPCBの公害で死者までも出した経済成長至上主義を批判し、このままではいけないと価値観の転換・修正を目指して、人間生活の全体性を回復しようとした指標の一つが、社会参加活動であったとすれば、社会参加活動は、本来その活動を通して、経済活動が社会の福祉を阻害したり破壊したりしないように、生活の側の価値観で経済至上主義を修正するものとして考えられていたはずです。慈善的な活動も含めて、社会を健康な全体性をもった有機的社会に変えていくことが志向されていたはずです。

社会参加だけでなく、その他にも、新しい社会指標は「雇用と勤労生活の質」という指標で、週休二日制普及率や有給休暇消化率を取り上げ、「所得・消費」の項目で消費者苦情件数や、商品テスト実施件数、消費生活センター設置数を取り上げることもしています。「コミュニティ生活の質」では、人口当たり公立図書館利用者数が取り上げられるなど、GDPや家計調査では取り上げられなかった非貨幣的指標が新しく登場しています。それらの新しい指標を通して、生活を取り巻く条件しだいで、生活の質も変化していく実態があきらかに認識されるようになったのです。

生活の質を内包する「生活水準」という言葉がありますが、日常生活の中でも貨幣額による指標だけでは、生活水準が上がったのか、下がったのか、判断できないことがあります。たとえば、労働時間が長く、帰宅して食事をつくる時間も気力もないので、いわゆる外食とコンビニ弁当と市販の飲み物で夕食を済ませたとします。残業手当が出れば、所得金額は増えるでしょう。その結果、家計収支だけで見れば、生活は豊かになったように見えるかもしれません。しかし、疲労の蓄積や、バランスのよくない栄養の取り方をすれば、偏った生活は、健康のためにいいことだとはいえません。

同じように、職場が遠くなり、交通費が増えて、ラッシュの混雑にもまれて疲労が蓄積しても、通勤手当が増えれば、所得が増え、交通費の支出も増えたのだから、貨幣額の出入りが大きくなり豊かになったと判断されるかもしれません。あるいは子どもが成長すればたくさん食べ、衣服も買い直さなければならなくなります。消費支出は増えますが、しかし、生活が豊かになったとはいえず、同じ生活水準を維持するのに精いっぱいでしょう。近くに図書館や公園があり、児童館やスポーツ施設などの公共サービスが無料で提供されれば、子どもは充実した日々を送れます。しかし、貨幣収支の金額が増えているわけではありません。逆に工場の大気汚染によるぜんそくや、工場の排水による公害や、農薬の害、子どもたちが泳げなくなった河川や海の汚染などで、貨幣収支と生活水準のギャップは大きくひらきます。

このようなギャップは専門家からすでに数多く指摘されていました（伊藤秋子『生活水準』光生館、一九七七年。前掲拙著『豊かさとは何か』『生活経済論』。暉峻淑子編著『公共サービスと国民生活』産業統計研究社、一九八三年など）。

右に述べた統計調査の経緯を考えると、地方自治体が住民の生活の質を表す指標として、社会的活動を取り上げるようになったのは、それが住民の活動領域を広げ、新しい人間関係をつくり、知的判断力を養い、政治・行政の歪みを正し、健康寿命にとってプラスをもたらす指標だと考えたからではないでしょうか。

すでに述べたように、いち早く社会参加を生活の福祉指標として取り上げていた静岡県の例は、県民生活の福祉指標づくりに心血を注いだ自治体の苦心のあとを残しています。

静岡県は、一九七六年一一月「静岡県の生活指標（試算）——県民生活水準把握のために」（静岡県生活環境部統計課）を公表しています。二三九ページにわたる入念な生活指標の作成を通して、県民に何が不足し、何を要望しているか、地域住民の意識まで含んだ調査結果がまとめられています（静岡県の図書館に保存されているので、詳細は実物を参照）。

静岡県の生活指標のユニークなところは、ともすれば自治体が形式的な公平をたてまえとして、同じような政策や施設を各地域にあてはめがちなのに対して、静岡県はそれぞれの地域基盤(自然条件、産業構造、人口の資質、経済力など)の違いを分類し、それぞれの地域基盤に適合する政策を取っていることです。ニーズを把握する場合にも住民の生活行動、価値観、公共施設の要望度、生活の不安感や不満を、地域別に丁寧に聞き取っています。なかでも同県が力を入れたのは県民の健康と、やがて大きく問題化するであろう長寿社会での健康年齢でした。そしてそのために、どのような政策が必要か、ということでした。その結果として、社会参加が指標の一つに取り上げられたのです。

一九七六年当時の社会参加は　高次のニーズ(生きがいを望むニーズ)に分類され、自分の自己実現、具体的には、「教養を身につけたい」「趣味を向上させたい」「社会活動に参加したい」というニーズとして生活指標体系に組み込まれました。

社会団体(青年団、婦人会、町内会、老人クラブなど)には、多くの人が参加しているのに、コミュニティ施設の利用頻度(コミュニティ活動の活性化)は低いままです。さらに社会参加は自由時間活動の中の一項目としても調査されていますが、その八五・二%は「最近一年間に全然活動しなかった」なのです。静岡県の社会参加についてのこの数字は、当時のどの自治体にも見られる普通の数字だったでしょう。

一九八五年二月に内閣総理大臣官房広報室(総理府)が行なった「社会参加活動に関する世論調査」(二〇歳以上三〇〇〇人、有効回答二三五六人、七八・五%)の「目的」には「自主的に参加して行われる集団活動が次第に活発になってきており、その活性化を推進することは国民生活の質的向上を図る上で重要な課題となっている」となっています。しかし時間的なゆとりがある場合のすごし方のなかで、「社会奉仕活動」はわずか三・二％にすぎません。自主的に社会参加活動に「参加したことはない」が五六・八％で、「現在参加している」が二六・四％、「過去に参加したことがある」が一六・三％です。

では当時、自主的にどのような社会参加活動に参加しているかを聞くと、「趣味・文化」が三七・二％で、「スポーツ」が三四・六％。「福祉」は四・八％です。活動団体の組織を聞くと、ここでも「町内会、自治会、青年団、老人クラブ等の既存の地域組織」が三八・二％で、「福祉団体、消費者団体等の既存の民間組織」は五・三％にとどまっています。

参加理由を聞くと、「親しく付き合える人をつくりたかった(つくれる)から」三二・四％、「健康や体力を高めたかったから」三〇・六％、「自由時間を有意義にすごしたかったから」二九・六％となっています。「地域や社会のために役立ちたかったから」という答えもわずかではありますが発見できます。他の調査を見てもほぼ同じ傾向を示しています。

静岡県健康福祉部健康増進課がさらに先に述べた調査を進めて、一九九九年から県内の高齢者二万二〇〇〇人に三年ごとに行なっているコーホート調査によると、運動と栄養に留意している高齢者の死亡率は、そうでない群に比して三二％減少しているが、社会活動をしている群の死亡率は、なんと五一％も減少していることが報告されています(二〇一二年の記者クラブ発表、および同年七月二一日の東海公衆衛生学会報告)。この調査については、東海大学体育学部が研究対象として取り上げており、「社会関連性」(地域社会の中で人間関係や環境とのかかわりが密接で、社会参加に積極的であること。また新聞、本、雑誌などの購読を通して、社会への関心を主体的に持っていること)が高い人は、死亡率が低いだけでなく、日常の身体活動習慣も良好で、運動能力テストの結果も得点が高いことを、さまざまなテストや調査で証明しています。なぜそのような良好な結果が得られているかの理由として、社会参加が健康につながるのは、ソーシャルネットワークやソーシャルサポートといった社会的関係が、好ましい健康行動を促進するからだと考えられ、今後は人とのつながりだけではなく、社会への関心なども含めた社会関連性を強めていくことが重要だ、という結論を出しています(稲益大悟・萩裕美子・久保田晃生「静岡県在住高齢者の社会関連性による身体活動・食習慣及び身体機能の違いの検討」『東海大学紀要』二〇二〇年三月三一日)。

もう一つ付け加えると、厚労省が発表している都道府県別の「健康寿命」の数値が二〇一九年の調査において静岡県は五位で、上位常連の県として知られており、「自分に役割がある」と思える状態が健康維持に役立つと紹介されています(『静岡新聞』二〇二三年一月一日)。静岡県で二〇一二年から始められた健康長寿プログラムによると、社会参加の内容は、「ボランティア活動や地域の行事に、進んで参加する」という、自分で選択するものに変わってきており(「静岡県健康長寿プログラム(ふじ33プログラム)が社会参加にもたらす効果」『厚生の指標』六二巻二号、二〇一五年)、広い意味の社会性を帯びたものに変化していることが分かります。

社会参加をどんな目的で誰が行なっているのか、調査した対象がどんな人か、などによって、調査結果も変わってくるのは当然ですが、一九九九年一一月に『朝日新聞』が対面式調査で行なった「社会参加意識」世論調査」もまた、社会の変化を感じさせるものでした(『朝日新聞』一九九九年一二月一〇日)。

「あなたは、社会の役に立ちたいという気持ちがありますか」という項目では、「大いにある」が二四％、「ある程度ある」が五八％という好ましい数字が出ていますが、気持ちはあっても実際に役立つ行為をしているか、ということになると、ボランティア活動を「した、している」人は三〇％です。私自身、二〇年間ＮＰＯ活動をしてみて、実際に行動に結びつくのは、二〇％ほどではないかと感じています。忙しくて時間がない、経済的に無理、自分に合う情報がない、というような理由が、実際にできない理由ではないでしょうか。

さらに、どんな行為が社会の役に立てるか、という質問に対して、この『朝日新聞』の世論調査では、「身近な人を支える」四二％。「一生懸命働く」二九％という答えになっています(二〇歳代)。たしかに、若者にとって社会参加とは職業を持つことであり、職業を通じて、社会の役に立っていると考えることが生きがいになっているのだろうと思います。自分が職場でかかわった商品やサービスが消費者に必要とされ、喜ばれていると感じれば、社会のネットワークのなかに役立つ人間として組み込まれていると感じるのでしょう。

しかし、社会参加という概念は広いため、何をもって社会参加というのか。ただ単に、町内会や自治会やＰＴＡ、老人クラブなどの周囲とのお付き合いの「自動コンベヤー」に乗せられて、会費だけは払っているけれど、一度も会に出席したことはない、という場合も社会参加といっていいのか。さらに統計調査対象者の八五・二％が、最近一年間に全く社会活動に参加していない、と答えている調査結果（前掲『社会指標――暮らし良さの物さし』）を勘案すると、社会参加といっても、それは日本人に特有な、世間並み、世間体、同調圧力による参加ではないのかとも解釈されます。社会参加どころか「世間を見て社会を見ない」という実例かもしれません。

先に述べたＮＳＩの非貨幣的指標として分類された生活領域の中の(7)地域・社会活動の内容が、社会参加活動、消費者運動、住民運動、政治活動などで構成されているのに比べると、会費を払うだけの町内会やＰＴＡや老人クラブや、慣習的なお祭りへの参加や、楽しむだけの趣味・スポーツへの参加を、社会参加活動と呼べるのか、それはただ旧態依然とした生活上の付き合いと個人の楽しみではないかといった疑問も湧いてきます。

政治活動や市民運動という社会参加がいつのまにか封じ込まれ、敬遠され自粛されて、お楽しみや世間的同調だけが生き残った、という在り方になったのは、民主主義国であるはずの日本で、権力者が政治や行政に対する市民の批判活動や介入を嫌い（政治家の後援会活動は認める）、由《よ》らしむべし知らしむべからず、の考えを根強く残しているからではないかと思われます。たまたま誰かが「社会」と口にすれば「主義者か」「アカか」といわれた戦前の風潮の残滓《ざんし》かもしれません。住民の「生活の福祉」を破壊する再開発に反対する運動や、原発や核のゴミ捨て場設置問題、先に述べたマイノリティの人権擁護などは、多かれ少なかれ政治的解決を必要とするのに、それを率直に発言することをためらわせる空気が今もあるようです。

社会を変えようとすれば、社会を支配している政権に対して対話を要求し、批判的行動を取らざるを得なくなるのは必然でしょう。一九九八年に施行された特定非営利活動（NPO）促進法の第二条第二項で、「政治上の主義を推進し、支持し、又はこれに反対することを主たる目的とするものでないこと」となっていることについても、当時から疑問の声がありました。NPO法人の資格を持っていなければ、行政からの委託を受けられないことが多いので、それが第二条の規定と相まって、現在のNPO法人の行動を束縛している面があります。一般の人たちの社会参加が、誰からも褒められる慈善活動に偏っているところが（慈善活動そのものは、もちろんいいことです）、日本型社会参加の特徴といえそうな気がします。

しかし、よく考えてみると、社会参加の仕方にも濃淡があるのは当然かもしれません。民主主義社会とは、いろいろな意見を持つ個人が集まって、話し合いで決めていく社会なのに、もし、その入り口で社会参加を排除することは、あってはならないと思います。社会でさまざまな人や事件に出会うだけでも、有益だからです。

人びとは銘々違っているからこそ、集まることが必要なのです。そしてあるとき、社会になくてはならない、かけがえのない自己というアイデンティティに気が付くかもしれません。自分の家から、あるいは職場から一歩外に出て、外の社会との接点を持つことによって、ある人はスポーツに参加したことで新しい人間関係を持つことができ、ある人は俳句や絵画の趣味で仲間を得て楽しい人生を送ることができるかもしれません。自分の心身の健康のための社会参加もあるし、あるいはボランティア活動で社会に有益な活動をして感謝され、それが自分の自己肯定感と自信につながり生きがいにもなる、という社会参加もあるでしょう。たとえば本格的なボランティア活動で、貧困家庭の子どもの学習を毎日のように無償でみてあげたり、障碍者が懇談する集まりを支援したり、目や耳の不自由な人の外出に同行したり、孤独な人の電話相談の相手になったり、というような、他者にとって絶対に必要な存在となっている社会参加もあります。社会から排除されヘイトスピーチの対象になっている被害者を支えて日本の社会を変えていく運動をしている人もいます。

他者にとってなくてはならない存在になっていることは、社会のネットワークの中にしっかりと組み込まれ、承認されていることを意味します。社会参加の仕方に濃淡はあっても、自分の家と習慣の中に閉じこもっているよりも、社会との接点があり、他者とつながり合うことの経験が、相互承認をひらく第一歩になると考えると、どんな形でも社会参加は有用だと思えます。なぜなら他者から応答されることのない孤独こそが、人間が生きる意味を失う最大の原因になっているからです。

孤独な引きこもりや自死を防ぐための社会的包摂の活動をしているサポーターが、引きこもりの家族がいる家庭を毎日訪ねて、引きこもっている本人に聞こえるよう扉越しに、親と雑談的に話し合っては帰っていく状況を重ねていると、ある日突然、引きこもっていた本人が待っていて、話し始める……ということが起こります。

その引きこもりの人は、外に出て他人に会うことを極度に嫌い恐れるので、サポーターは夜中に来て釣り堀に誘い、一緒に釣りをする。釣りはリールを巻いては投げ、巻いては投げるので、話したくないときは釣りに熱中すればいいし、話したくなったときは自然に話すことができるという最適な場になっているのだそうです。

お互いに信頼が感じられるようになったら、サポーターは引きこもりの若者と一緒にゲームをしたり、カラオケに行ったり、コンビニに買い物に行ったりして、だんだん外に出ることができるように促します。そのうちに同じ仲間と自由に時間を過ごせる憩いの施設で、仲間との時間を過ごせるようになり、フリースクールに通うこともでき、農作業を楽しんだりもします。そうこうしているうちに学校に復学し、あるいは復職して、社会復帰を果たします。人によって、数か月でそうなる人もいるし二年かかる人もいます。サポーターの人にどうしてそこまでするのかと聞くと、多くは、「だってそういう人が目の前にいるのに放っておけないでしょ」という答えが返ってきます。

また別の例では、精神障碍を持つ人の長期入院が常態化している日本独特の悪習慣を変えて、当事者たちが地域の生活に戻れるように、社会復帰を助けるボランティア活動が行なわれています。障碍者が地域の人と交じりあって昼ご飯を一緒に食べることができるように、食堂を経営し、毎朝四時に起きて、人びとが集まれるような、おいしい食事の支度をしているのです。人はおいしい食事でないと集まってこないので、食堂のおばさんたちは、ただひたすらに、おいしい食事をつくり、集まってくる人の話をゆっくりと聞いてあげる役割に徹しています（いずれの事例も、内閣府『よりそい』二〇二三年参照）。

　これらの事例から、社会から排除され無視されている人たちにとっての社会参加は、第一歩を外に踏み出すことが、予想を超えた困難事になっていることがよく分かります。自分を排除した社会の方は相変わらず変わっていない生きづらい社会です。そこに再び還っていくというのですから想像に難くありません。

　しかし、孤独でいるよりも社会の中の一人《いちにん》でいる方が幸せだと確信しているサポーターの熱情と尽力で、孤独だった人びとの多くは、やがて社会に還ります。社会は多様で、海のように広く深く、その襞《ひだ》の中に排除された人を包摂する場所を持っているのです。そういう場所づくりはほとんどがボランティアによって行なわれ、公的な補助はありません。あるとしても委託事業という一年単位の不安定なものです。日本人の社会参加率が低いのは、ボランティアの人びとの献身的な働きに対して、公的な補助が乏しいことにも原因があります。

　社会にとって本当に必要な、個人がギリギリ生きるための公共サービスをボランティアに押しつけ、「つながり」や「支え合い」「共助」という美名のもとに、「生きがい搾取」といわれるような負担を善意の人びとにタダ働きで負わせることは、ボランティアを疲弊させ、活動の継続を困難にさせます。それだけでなく、社会構造に起因する生活問題を本来は制度の創設・改正につなげなければならないのに、その可能性を失わせてしまうことさえあります。「〔公的な〕政策サイドがもつ狭隘な「自立」観と「つながり」に問題解決の機能を押しつけたうえで住民に責任を転嫁するような地域福祉のあり方を改めなければならない」(矢部典子「日本型「社会的包摂」政策が抱える諸課題の検討」『福祉社会研究』第一〇号、二〇〇九年)という根本問題があることにも十分に留意しなければなりません。

これもベルリンでの体験ですが、ドイツ人の友人が、失業者の働き口をつくるために、中古品再利用の取次販売所を始めたとき、市から、事務所の家賃と、給湯設備、机といす、ボランティアの人件費などの補助を受けることができて、活動しやすくなっていました。補助を受ける場合には審査があり、毎年報告書を出す義務がありますが、環境保護や青少年問題の相談、市民の助け合いのための拠点づくりは、ほとんどの場合、市からの援助が受けられます。本来なら公共サービスでやらなければならないことを、民間のボランティアにしてもらっているわけですから、市がボランティアに「ありがとう」とお礼を言います。ところが日本では、逆に、ボランティアが好きでやっていることに対して公的資金で援助してやっているという態度で、ボランティアの方が、「ありがとうございます」と言って受け取っています。

世の中には、社会から排除された人たちを助けて、引きこもりや精神障碍を持つ人を同じ社会人として承認し、ともに生きる喜びを自然に分かち合おうとする人びとがいます。そういう人と出会ったり、一緒に仕事をするたびに、いつも私は言葉にならない大きな感銘を受けるのでした。

「障碍をもった人から認められ信頼されることほど嬉しいことはない。ウソがない信頼だから。やっと自分も一人前になったかな、と思います」と、ボランティアの人たちは言います。彼らは今、そこにいる人を、自分たちと同じ人間として何の疑いもなく承認しています。そして彼らから承認されています。社会とは、本来、そういうところなのでしょう。

にもかかわらず、どういうわけか日本は、社会人であることが人間の自然であり当然であり、社会に参加することで連帯感と安心が得られ、一人ではできない、個人を超える大きな力が、人間関係の中で生まれ、個人の能力が発揮できていることを、高く評価しない国です。社会に参加することの重要性を自覚させないような学校教育や社会教育が行なわれています。

「寝た子を起こすな」と言った元首相もいますが、日本財団の一八歳意識調査「第四六回　国や社会に対する意識(六カ国調査)」(二〇二二年)でも、「政治や選挙、社会問題について、家族や友人と議論することがあるか」という問いに対して、アメリカ、イギリス、中国、韓国、インドの青年たちの六割から七割以上が「ある」と答えたのに対して、日本ではわずか三四・二%だけが「ある」と答えていました。また学校で勉強する意味を問われた答えに、「国や社会に貢献できるようになる」という答えが最も低くなっているのが日本で、いい学校に行き、いい職業につき、高い所得を得て、いい人生を送ることが、大きな生きる目的となっていました。

あるドイツ人から、「そんな人生の目的をみんなが持っていたら、誰がよりよい社会をつくろうとするのでしょうか」と怪訝な顔で質問されたことがありました。日本では子どものときから、社会といえば、人様に迷惑をかけないことであり、わがままをしないことであり、社会のルールや校則を守ることであり、世間からはみだすことに対して自己責任を負うことが規範になっているのです。哲学者、中島義道の言葉を借りれば、日本人は和を乱すような批判や言動は、それが正しくても、してはいけない行為とされ、お互いに討論する中で答えを見つけていくよりは、人を傷つけないように、お上に管理してもらうことを望む国民なのだそうです(『〈対話〉のない社会』PHP新書、一九九七年)。

私が子どものときに経験したアジア太平洋戦争は、国家権力が判断を間違えば、個人の幸福など一瞬にして吹っ飛んでしまうことを私たちに教えました。社会と個人の運命は、背中合わせなのです。社会から目をそらして、自分の小さな幸福だけを守ろうとしているうちに、いつか大きな破綻が津波のように、人びとを暗黒の中に巻き込んでしまいます。二〇一一年の福島の原発事故も、その一つです。事故からわずか一〇年余りで、二〇二三年二月に国の原子力政策が大転換し、原則四〇年、最長六〇年と定められていた原発の運転期間について、審査などで停止した期間を除くことで、六〇年を超えて運転できるようにされました。六〇年を超えた原発の安全性の確認方法について具体的な内容は決まっていません。戦争も、原発事故も忘れさせようとする政治に対して、だからこそ人間である私たちは、社会から逃げず、目をそらさずに、人間らしく社会に参加する道を自ら塞いではならないのだと思います。

2　なぜ社会参加に関する意識が低いのか

日本では、社会正義のために立ち上がった市民運動の多くが、権力によって潰されてきました。選択的夫婦別姓にしても、ＬＧＢＴ差別にしても、明治神宮外苑の再開発反対運動にしても、沖縄の反基地運動にしても、原発の六〇年を超える長期稼働反対運動にしても、集団的自衛権に反対する運動にしても、しかりです。

最近、高校生の手で、非論理的で厳しい校則を改革する動きが活発になり、それが成功していることに希望を感じます。

私がベルリン自由大学で教えていたとき、それまで勤務していた埼玉大学の学生とドイツの学生の社会や政治に対する関心の持ち方があまりに違うので、それがどこから来るのかと、大学入学以前の小・中・高の学校を暇さえあれば何度も見学させてもらいました。小・中・高校の生徒たちと机を並べて勉強してみるのは、懐かしさともの珍しさの連続でした。その結果、ドイツの学校では大学入学以前の過程で、子どもたちが社会や国家に関する多くの体験を重ねている度合いが日本と全く違っていることを感じました。

たとえば、ベルリンの市立フンスリュック小学校では、一年生からクラスの自治会があり、その日の授業が終わると毎日交代で、児童の司会者が一日の感想やその日に生じた問題について意見を求めます。学内だけでなく、学外で起こったことも話し合いのテーマになります。司会者の許可がなければ教師も発言できません。二〇〇三年にイラク戦争が起こったときには、小学校の児童が、戦争反対のデモに参加する決議をして、先生が、それは体格の小さな子どもでは危ないと言い、かわりに校門の前に集まって、ろうそくを手に持って反戦の意思表示をすることになりました。それらはすべてクラスの子どもと教師の判断に任されています。四年生の社会科の時間には、小学生であっても、二人一組になって、それぞれが自分の町でいちばん関心のある場所を実際に訪ねて調べます、その計画をつくるときは、朝早くから学校が朝食の準備をして、時間をかけてそれぞれの計画を議論し合います。子どもが関心を持つのは、農業であったり、当時出稼ぎに来ていた多くのトルコ人の移民生活であったり、モスクであったり、役所であったり、食堂であったり、パン屋さんであったり、本屋さんであったり、いろいろです。児童が実地調査をする日は授業がお休みで、その後、調べたことの発表会があり、その発表をめぐってまた話し合いがあり、発表したものは活字になり、地図を添えて『私の町』という本になります。その本は他の町や隣国の子どもに送られました。

中学生ともなれば、一か月は職業体験をします。好きな職業に就いてみて、自分は何のために勉強をしているのか、将来は何になりたいのかを考えて、レポートを書きます。先生はその一か月間、生徒を採用してくれた職場をまわって、生徒の状況を見守ります。社会科の授業では、各政党の政治家を招いて、クラスの生徒がそれぞれに質問をします。招かれた政治家が、国家や社会の問題をどのように解決しようとしているか、中学生にも分かるように話していました。そのとき、私が聞いていて、もっとも魅力がある政党は「緑の党」でした。政治家とはどんな職業か、その職務を全うするには市民の政治に対する関心、監視、行動が大事であること、政治家も人間なので、嬉しかったことや悲しかったことなども話し合われていました。時間が足りないときは翌日にも続きがあります。第二次世界大戦「解放の日」(五月八日)の前後には、ナチス時代、ユダヤ人や反戦活動家を強制収容した収容所跡の見学が行なわれます。

学校内では、中学からは、生徒の代表が先生たちの職員会議に参加します。私が見学した高校生の授業では、あるとき、新しいまちづくりの一環で、ベルリンの百年祭を記念して老朽化した建物の取り壊しが行なわれました。それに反対する住民の抵抗があり、取り壊しのレッカー車に住民がレンガを投げて妨害したのです。高校の先生はその現場に生徒を連れて行きました。その現場を見て、住民の怒りや、それに対する警察のスピーカーでの説得や警告も直に聞きました。学校に戻ってからも生徒間でなまなましい討論が行なわれていました。

政治の話や社会の問題について話し合うことは普通です。それは日常的に存在するものですから、隠すことではありません。隠したがる社会のことは「地下室の死体社会」と呼んでいました。

それらは一貫して、上からのプログラムでなく、生徒たちの自発的な問題意識を大切にして行なわれていました。そういう経験を持っていたら、自然に、社会について関心を持つ若者が育つのではないかと思いました。また学校外での社会参加の経験も豊富に用意されています。教会や赤十字や生活協同組合や市民団体が呼びかけるボランティア活動、スポーツ団体の組織で、高校生が小学生や中学生にサッカーやクリケットなどのコーチ助手を務めたりしています(わずかですが、報酬が出ます)。

二〇〇八年に来日したことがあるオランダのユトレヒト大学の社会教育学が専門の、ミシャ・デ・ウィンター教授は、「未来の社会づくりは、子どもが積極的に社会参加できる市民になれるかどうかにかかっている。オランダでも昔は日本と同じように、一人の先生が同じ内容を全員に教える授業が主流だったが、一九六〇~七〇年代に方針転換し、今は五人程度のグループに分けて、習熟度や生徒の関心に合わせて、先生が適切な教材を与え、生徒の自発性を尊重している」と言いました。

日本では一八歳で選挙権が与えられるようになっても、「政治的中立」という〝呪文〟に縛られ、すり替えられて、政治について議論すること自体が忌避され不可能になっています。体育館などで行なう模擬投票体験程度のことでお茶を濁す、などというのは、高校生を信用しない(ばかにした)態度ではないでしょうか。高校生や二〇代の人たちが選挙に行かないのも、別に行かなくても関係ないという気持ちなのでしょう。社会のことにはかかわらない方が賢い、と思われているのかもしれません。

一九九〇年に内閣総理大臣官房広報室(総理府)が行なった「青少年の社会参加に関する世論調査」では、一五歳から一九歳までの青年の男五七・五%、女五〇・一%が社会参加に対して関心が「ない」と答えています。二〇歳から二九歳までの青年の男五四・八%、女四五・六%が、やはり関心が「ない」と答えています。「ない」の方が、が「ある」よりも多いのです。「実際に社会参加したことがない人」が二〇代では男六七・二%、女六三・二%です。

「高校生の社会参加に関する意識調査報告書」(国立青少年教育振興機構青少年教育研究センター、二〇二一年六月)は、よく練られた質問項目と、すぐれた調査結果の考察・分析が行なわれていますが、それだけでなく、日本、アメリカ、中国、韓国の四か国が同時に、自国の高校生に対して同じ質問・調査を行なっているため、日本の高校生の特徴がよく分かります(日本では四〇の高校が参加し、四六二三人が有効回答者となっている)。

読んでみて痛感するのは、日本の高校生たちの社会参加に対する考え方が、日本人一般と共通していることです。

日・米・中・韓のなかで、日本の高校生が最も高い割合を示したのは、

- 「私個人の力では政府の決定に影響を与えられない」八三・〇％。
- 「政治や社会より自分のまわりのことが重要だ」七〇・四％。
- 「政治や社会の問題を考えるのは面倒である」五〇・七％。
- 「現状を変えようとするよりも、そのまま受け入れるほうがよい」四五・六％。

などです。

同じ調査の中で高校生の優先順位が明らかだったのは、

- 「趣味やアルバイトへの関心」は八割を超えているが、「政策に対する意見表明に関する活動」に対する関心は三四・五％。
- 新聞やニュースをよく見るが、「エンターテインメント」に対する関心が六四・九％。政治に対しては三九・七％、文化に対しては二三・二％。
- 高校生の九五％が、社会や政治に対して自分たちの意見を表明することは良いことだと考えているのに、自分たちの意見を表明しにくいと思っている者が五六％で、四か国中最も高く、その理由は「しても何も変わらない」「社会からの理解を得られない」が五割弱。
- 学校行事や部活・クラブ活動に対する積極的な参加は六〇・五％と四か国中最も高いのに、生徒の自治活動になると四〇・二％と四か国中最低。参加したくない主な理由は、「興味がない」。

以上の調査結果について、この「報告書」の執筆者である両角達平は、報告書の終わりに、調査結果について次のような考察をしています。

――日本の高校生の社会参加に関する意識は、なぜ公的な事柄よりも私的な事柄に偏るのだろうか。趣味やバイトなど私的な事柄よりも、公共性や市民性を身に付けて社会参加する教育が必要ではないか。また、実際に、それに対応するように、教育によって市民性・社会性を身に付けさせる教育的なアプローチが提示されている。そもそも日本には声をあげてもいいような雰囲気や風土がない。それが常態化していることが日本の高校生の「諦めの感情」を生んでいる可能性はないだろうか。若者の声を聴くように変わるべきなのは、大人の方ではないか。日本の高校生が自治機能に関心が低いのは、そもそも日本の学校においては、学校の民主的ガバナンスを担う存在として生徒会が制度的に位置づけられず、機能していなかったからではないか。

今回の四か国調査では、社会参加意識については「自分本位」「社会参加志向」の二つの因子が抽出されている。日本の高校生は「社会参加志向」が他の三か国を大きく下回り「自分本位」の因子が韓国に次いで二番目に高い。なぜ日本の高校生は社会参加の意識が低く、「自分本位」の因子が高いのだろうか。今回の調査では「政治や社会の問題を考えるのは面倒である」「他人のことで自分の時間をとられたくない」「政治や社会より自分のまわりのことが重要だ」という答えを通して「自分本位」という因子が抽出されている。それは「自分のことを守りたい」という深層心理の現れかもしれない。近年の日本の「子ども・若者」は幼少期より、成育環境の中でさまざまなストレスにさらされている。年々重くなるランドセル、減少する余暇の時間・空間、早期からの受験勉強、試験と成績評価、保護者の子への進路決定への過度な介入。放課後の時間の「授業化」、プログラム化された「探究」の時間など、新自由主義化した日本の子ども・若者の成育環境は、保護者や学校、大人社会からの「監視の目」にさらされている。内発的な動機に基づいて余暇や体験活動がしづらくなっている環境では、ストレスを受けないように「自分を守る」ようになるのは、自然なことではないか。

その一方で、昨今の教育は子ども・若者に「主体性」や他者との差別化や「強み」をアピールすることを求めている。少子化とも相まってますます同質性が高まるなかで、同調圧力が強くなる日本の子ども・若者の生活空間は、空気を読んで発言したり、先生や保護者・評価者に迎合する「主体的な忖度」をよしとする空気が生み出されている。——

両角の考察に共感した私の脳裏に浮かんだのは、アキハバラ事件で死刑になったKや、新宿西口バス放火事件の犯人Mのことでした。彼らは無限に押し寄せてくる社会的矛盾、承認されない自分を守るために、社会的な人間関係を閉ざして孤独になり、それでもついに自分を守りきれずに、自分の存在を認めさせる「拡大自殺的な他者への攻撃」に及んだのではなかったのか、と。

心の痛む連想の中で、社会的監視と、絶えざる評価とランク付けと、自由で自発的な動機が収奪されてしまう日常のストレスから、人はどうやって自分を守れるのか自分に問うてみました。扉を閉ざすことによって自分を守るのでなく、逆にひらくことで自分を守れたのではなかったかとも問うてみました。それぞれの人のアイデンティティを認める、他者からの、社会からの、承認を得やすい社会であったなら、扉をひらくことで自分を守れたかもしれない、と考えてみました。そんな社会は、たぶん、もっと生きやすい社会だと思います。それを得られずに、閉ざした孤独の中で彼らは自分を守りきれずに自死したり、暴走するのではないかと思うのです。

高校生だけでなく、一般国民の意識も高校生と似ているようです。NHK放送文化研究所が行なった「社会と生活に関する世論調査」(二〇一一年)で、「社会への関心が低い人々の特徴」が報告されています(一六歳以上の全国の国民を対象に、二〇一一年二～三月に実施し、三六〇〇人のうち二六二七人、七三%が回答)。

そのなかの(7)「社会とのかかわり方」を見ると、「決められたことには従い、世間に迷惑をかけないように心がけている」という人が四六%で最も多く、「社会のために必要なことを考え、みんなと力を合わせ、世の中をよくするように心がけている」は四%とわずかです。

社会的関心度を測る九つの問いを並べ、それぞれの問いに「当てはまらない」と答えた人は社会への関心が高いグループに分類され、その九つのそれぞれに「当てはまる」と答えた人は社会に対する関心がないグループに分類されます。

A　自分のことに精一杯で、他人のことを考えるだけの余裕はない
B　結局、人のことは自分とは関係のないことだ
C　自分ひとりが努力しても世の中はよくならない

D　ボランティア活動や奉仕活動などに興味や関心はない
E　社会問題は自分の生活とはまったく関係ないことだと思う
F　政治や社会の問題など、難しいことを考えるのはめんどうである
G　何事も深く考えず、その場しのぎで過ごしている
H　他人のことで自分の時間をとられたくない
I　自分が損をしてまで、皆のためにつくすのはバカげたことだ

以上、九つの問いに当てはまる人は、社会に無関心な人に分類されるのですが、この受動的無関心は、高校生と同じく、社会から監視、ランク付けされることに対して、身を守るためのギリギリの抵抗だったのかもしれません。

それまでの一般の調査では社会への無関心や参加がない第一の理由を「忙しくて時間がない」ことによるとしていたけれども、NHKの丹念な調査は、時間がないことと社会参加とは関係がない、精神的に余裕があるかないかが社会への関心の高低と関係している、という結果を述べています。

3　『母の大罪』で問われたこととは何だったのか

これまで見てきたいくつかの例が示すように、社会には、かなりの無関心層がいて、民主主義を空洞化させている反面、他方では国家や地方自治体や企業という組織体ではない、自発的に市民がつく

った数多くの活動拠点やネットワークがあり、規模は小さかったり、微力であったりしても、その活動によって社会を支えています。それらをソーシャル・キャピタル（社会関係資本）といい、「信頼」「互酬性の規範」（お互いに助け合おうという理念）を核にして、人びとがつながり、協調的なネットワーク活動を行なっているのですが、その活動がさまざまな社会的利点を生み出していることが指摘されています（ロバート・D・パットナム『哲学する民主主義』河田潤一訳、NTT出版、二〇〇一年）。日本では特定非営利活動法人（NPO法人）が知られていますが、NPO法人以外にも、自由で多様なグループがネットワークをつくり、新自由主義経済とは違う価値観と方法で社会を改善し、動かそうとしています。

「災害ユートピア」という言葉がありますが、社会参加に必ずしも積極的だと思われていなかった日本の市民が、一九九五年一月の阪神・淡路大震災の被災者に支援の手を差し伸べ、自発的な組織をつくり、市民相互の信頼をもとにして、利害損得の売買行為とは違う大きな人道的支援を行ないました。全国から一七九三億円の義捐金が集まり、一三八万人のボランティアが、人道支援の活動に携わりました。人びとはただ、災難にあった人の役に立つことに喜びを感じて行動したのですが、そのときの若者たちの活動には目を見張るものがありました（その後の災害にも同じ傾向が見られます）。これを契機に一九九八年、NPOが法人化される法律ができ、内閣府の情報によれば、二〇二三年には一二八三法人が、災害だけでなく保健・医療、社会教育、まちづくり、学術・文化・芸術、環境保全など、二〇の分野でNPO活動を行なっています。

発達した資本主義社会では、すべてが市場を通して供給されていると考えられがちですが、ソーシャル・キャピタル(社会関係資本)は、民主主義の各国で市場を通さずに、それでも公・私・企業に影響を与える組織として、あるいは頼られる活動として社会的に重要な役割を発揮しているのです。

ソーシャル・キャピタルの活動は、人間の孤立化を防ぎ、自分たちはコミュニティの一員であるという安心感を高めます。信頼と、支え合う安心のある社会は、経済的成長にもプラスの効果をもたらすでしょうし、犯罪を抑止し、政治や行政の効果をよりよいものにするでしょう。ソーシャル・キャピタルのように、常に何人かの人が対話する土壌を持っていれば、たとえ問題が起こっても、ゆとりをもって多様な解決法を持ち寄ることができるのでしょう。

民主主義の制度があっても、個人の孤立を防ぐことはできません。経済的に貧困でなくても、社会参加から排除されている人がいます。社会的承認基準に合わないために孤立したり、排除されたりしている人びとがいるとすれば、社会的ネットワークの中にすくい直し、包摂する必要があります。また、排除された人の視点から社会を見直す必要もあります。権力的な座にあって一方的に承認を与える側にいる人は、自分の一方的承認が共通善(common good、アリストテレスの「共通の利益」に由来する言葉。公共善とも訳される。統治が利益ではなく社会全体の共通善のために行なわれ、市民も自己の完成のために共通善のもとに連帯すること。マイケル・サンデルも、人びとが利益でなく共通善を追求する意識を強調している)に合致しているかどうかを考えるという発想そのものが、はじめから欠けています。安倍元首相の「モリ・カケ・サクラ」事件、黒川事件が忘れられることはないでしょう。赤木俊夫さんの自死も――。

すでにいろいろな人が語っているように、アジア太平洋戦争中の軍国主義日本の社会的承認基準は、非合理的、独断的、非人間的な、人権を真っ向から否定するものでした。戦争に勝つことがすべてに優先し、犠牲が強要されました。正論は排除され、非科学的なその基準に、良心の立場から従うことができなかった人は社会から排除され、投獄されました。しかし敗戦後、社会の承認基準が変わると、逆転現象が起こります。

前述の『母の大罪』という作品は、小説に分類されているようですが、読めば分かるように、著者が長年にわたって追求したノンフィクションのルポルタージュです。戦争という非人間的な時代の歴史的背景も正確に描かれています。私は戦争時代を知っているため、この本を読んだとき、つらい思いが先立ちました。しかし、個人と社会的承認の関係を如実に示している作品なので、そして今後も十分に起こりうる問題なので、あえて社会的承認基準の問題に関係するところに絞って紹介したいと思います。

舞台は昭和一七〜一九年ごろ。夫を早くに亡くし母一人子一人の中で、内職のミシンを踏んで自分を育ててくれた母を喜ばせるため、また親族のホープとして期待を一身に背負っていた一人息子の敬《けい》は、当時の社会的承認基準の最高位であった、皇国の軍人になることをめざしていました。兵役についてわずか二年で少尉に、そのあと、中尉に昇進するという、超スピードの出世をします。母親も喜んで、士官となった息子と町を歩くと遠くからも人が礼をしてくれることを嬉しく思い、誇りにしていました。ところが敗戦後、息子は巣鴨プリズンで、ＢＣ級戦犯の第一号として絞首刑に処せられたのです。昭和二〇年代、六六歳の母親が食糧配給の列に並んでいると、「あれが死刑第一号の母親だ」「あんな人がいたから日本が負けたんだよ」と、聞こえよがしに言う人の声が聞こえました。

『母の大罪』の母とは、巣鴨の拘置所で、戦犯として一番目の絞首刑を受けた、由利敬の母親、由利ツルのことです。

ツルは長崎県・五島の本山村で生まれ、当時、最高水準といわれた長崎の師範学校を卒業、そのころは珍しかった洋裁の技術も身に付けていました。一九二〇年(大正九年)一月、長男、敬が生まれます。不幸にも敬が三歳のとき父親が亡くなり、その後、ツルは、小学校の代用教員をしたり、ミシンを使っての洋裁の内職をしたりして女手一つで敬を育てあげました。敬という名前は、原敬首相のように立派な大臣になってほしいという思いから付けられた名前で、母親が夢見た息子の将来への期待がどれだけ大きかったかが分かります。

巣鴨プリズンで敬の最期を見届けた教誨師《きょうかいし》、花山師宛にツルは次のような手紙を書いています。

敬は三歳にて父を亡くし、母の手一つで育ってきて、おさない時より軍人が一番好きで、寝る時にも「敬ちゃんが大きくなったら、クンショウサゲテ、ケンサゲテ、お馬に乗って、ハイドウドウ」と、幾度も歌えば、眠り、おもちゃなども皆武器や竹馬が好きでした。そのころのことです、本願寺の内田さんと申す方が、お子さんを連れて参りましたので、わたしがケンやテッポウを差上げると、「僧侶の子は武士遊びはしない」と断わられました。いまそのことを思いだすと、敬を戦犯者にしたのは、まったくわたしの罪でございます。わたしは、仏様に伏して、おわび申します。わたしが二十六年間、軍人〔となること〕一心に養育したのがもとで、敬はいまのような大罪をおかしたのです。この大罪は誠に、このおろかな母の罪です。

この時代、小学校で「将来何になりたい?」と聞かれれば、男の子は「陸軍大将になりたい」とか「海軍大将になりたい」と答えるのがふつうで、軍人として手柄を立てれば、現在のオリンピック選手の金メダル並みに、新聞で大きく讃えられました。「死んでも口から進軍ラッパを離さなかった木《き》口《ぐち》小《こ》平《へい》」の話は一九〇二年から教科書に載っていましたし、乃木大将や東郷元帥の話も、修身や国語の教科の題材に取り上げられていました。「兵隊さんをたたえる軍歌」もたくさんありました。子どもが軍人に憧れるのはもっともなことでした。軍人に対する世間の評価も高かったのです。

敬は中学生のときから、五円五〇銭という中学の月謝を、ミシンの内職をしている母に払わせることをつらく思っていたようです。当時、義務教育は、小学校の六年生まででした(一九〇七年以前は小学四年まで)。敬が旧制中学に入学した一九三二年は、満州事変の翌年で第一次上海事変が起こった年です。敬が中学四年生になった一九三五年、政府は国体明徴の声明を出します。大日本帝国は、万世一系の天皇をいただく国体であり、親に孝行するように「義は君臣にして情は父子」の天皇のために命を捧げることが日本の美風だと教えました。学校では軍人が教育に介入し、敬は、配属将校の久米少佐、古賀少佐に、目をかけられ、射撃部のキャプテンとして五島中学校を長崎県内の射撃大会で優勝に導きます。

一九三七年、敬は旧制中学を卒業して、長崎の三菱造船所に勤め、五島を離れて、母とともに長崎で暮らすようになります。一九四〇年、兵役につき、四一年歩兵第五五連隊第九中隊に編入されて、中国の広東付近の警備につきます。入隊して八か月後に、兵科甲種幹部(甲幹)候補生に選ばれて、職業軍人としての道を歩み始めました。この兵科甲種幹部候補生とは、旧制の大学・専門学校卒業生が最初から見習士官に任官し、将校としての少尉になるのとは違い、現役の兵士に与えられた登竜門でした。この兵科甲種幹部候補生になるには猛烈な訓練に耐え、三〇倍を超える試験に合格する必要がありました。その甲幹の候補生として、敬は国内の久留米第一陸軍予備士官学校に国内留学を命じられ、一九四二年には、卒業して見習士官となります。見習士官の軍服に身を固め、故郷の五島に錦を飾り、ツルの実家川上家では昇進を祝う祝宴がひらかれました。先祖の墓参もしました。敬が道を歩くと遠くから、兵隊たちが敬礼をしてくれて、今までの苦労が全部吹き飛んだ、とツルは語っています。兵役についてから二年というスピードで少尉に任官した敬のその背後で、一九四二年、ミッドウェー海戦でアメリカに敗北を喫した日本は、破滅への道をたどり始めていたのです。

少尉となった敬は、いくつかの俘虜の収容所の所長を務めた後、一九四三年八月、福岡の俘虜収容所第一七分所の所長となり、やがて中尉となります。俘虜一七〇〇人を収容するこの分所の所長には、連隊長並みの権限があったといわれ、ある日、昔の友人が敬と出会ったところ、当時では考えられないようなご馳走をしてもらい、敬は、たくさんの女性から送られてきたお見合いの写真を見せてくれて、中には男爵の娘もいるという自慢話もされたようです。この収容所の俘虜は近くの三井三池炭鉱の労働力として使われていました。ところが敬がこの収容所に赴任した翌年の一九四四年に、のちに敬が戦争犯罪を問われた二つの事件が起こったのでした。

その第一は、営倉から脱走しようとしたN・C・ハードを営倉裏に連れて行き部下に命じて、銃剣で刺殺した事件でした。

第二は、盗みを働いたJ・G・パブロコスを営倉に入れ、意図的に餓死させた事件です。このとき、七七キロあったパブロコスの体重は三六キロにまで減っていました。

その他、赤十字から送られた医薬品や物資を俘虜たちに供給せず、俘虜を日常的に暴力的に虐待していたことも、絞首刑の理由として挙げられています。

敬がなぜ、脱走兵を正式な軍法会議にかけなかったのか。そうしていれば、死刑は免れたかもしれない、という謎が残されました。後にあきらかになったのは、赤十字からの救援物資を敬が私物化し、意中の女性に贈ったりしていたため、もし軍法会議で憲兵が収容所に介入すると、そのことがあきらかになるかもしれないと恐れて、私刑に処したということでした。その結果、敬は、弁解の余地なく、絞首刑になったのです。しかし一方で、当時、食うや食わずの状態にあった日本で、軍の権力的地位にいた人が、その特権を利用してさまざまな闇行為をしていたことは当然として不問に付されていました。軍隊は国民を守るのだから、何をしても問題にされることはない、と思われていたのです。河崎の著書『母の大罪』によると、逮捕された敬は軍律を守っただけであり、敬自身も、いずれ拘置所から釈放されると信じていました。母と会えたのは判決前の五分間だけで、二人とも涙で何も言えなかった、と書かれています。

河崎は、『母の大罪』を出版するにあたって、そのことが由利親子にとって喜ばしいことであるかどうか、悩んだといいます。それでも、戦争責任について、あれこれ言い訳をして責任を他者になすりつけ、戦後、議員にさえなった日本人も多くいる中で、「母の大罪である」と言い切って天下に詫び、息子の死後もけなげに生き抜いた由利ツルのことを書き残したいという気持ちで、出版を決意した、と「あとがき」には記されています。そして、同「あとがき」には、次のような、デイビッド・コンデの『朝日ジャーナル』(一九七六年三月五日号)への寄稿が引用されています。

多くのアメリカ人が西ドイツより日本に疑いの目を向けるのは、一九四五年以後の両国の発展の相違である。連合国はニュールンベルグと東京で、戦犯裁判を開いた。それは単に、清浄作用の始まりにしかすぎなかった。

連合軍による戦犯裁判は、日本ではさしたる重要性を持たなかったのだろう。日本では〔戦争の〕指導者たちは、これで事件は落着したと考えたのに反して、西ドイツでは毎年のように非人間的で野蛮な元ナチ党員を戦犯として裁いているのだ。

一方無感覚で腐敗した日本では、自分自身では誰も裁かず、逆に多くの事例に見られるように、自民党議員として国会議員に選出している……。

ドイツ人たちが、自分で戦犯を裁いているということは、何が「善か、悪か」、何が「人間的か、非人間的か」について、みずから判断しうるだけの文化水準に達していることを示している。日本もみずからの戦犯裁判をすぐ行うべきである、と私は信じる。

敗戦後、日本は民主主義国家になり、平和憲法が制定されて、新しい社会の承認基準が生まれました。「主権在民」の主権の核心は個人の人権にあったはずです。しかし前述のように、経済発展、再開発偏向権力による一方的承認などでの、生活権や人権や環境保護との衝突があちこちで起きています。けれども、そのなかで、弱者といわれる人たちの中から、自分たちの手で人権を守る社会的な新しい承認基準をつくろうと、社会に参加する運動があちこちで起こりました。このあと紹介する、障碍者のための「すずかけ作業所」と、いまも増えつづけている不登校児のためにフリースクールをつくり上げた父母たちの力を、社会の誤まった承認を変えていった一例として紹介します。

隠すことで守るのか、ひらくことで守るのか

4　社会的排除から包摂へ

資本主義の宿痾ともいえる貧困と承認拒否（社会的排除）の問題を民主主義社会は具体的にどのように解決しようとしているのでしょうか。貧困問題については、数量的な把握や客観的な表現がある程度は可能で、所得の再分配も目に見えやすいという特徴があります。それに比べて、承認の問題は、もともと社会人として生まれた人間が社会参加できない（排除されている）という根本的な矛盾を抱えているにもかかわらず、一般的な定形化／定量化が難しいためか、あるいは人びとの意識にかかわる問題を含んでいるためか、改善に向けての道筋がなかなか見えてきません。

資本主義社会が競争と管理と選別（排除）を当然のルールとしている中で、人権と民主主義という枠組みは、どのようにして選別（排除）の価値観を、共存の、あるいは包摂の価値観へと融合できるのか。具体的な政策が論じられることも稀です。今や貧困問題（再分配）よりも承認問題の方が社会問題の主流となっている、と第三章でホネットとフレイザーが共通に述べているのは、適切な指摘だと思われ

ます。

その具体的な道筋を探っていくには、具体的な実践活動の一つ一つを丁寧にほぐしていく必要があると考えました。その一例として、障碍者の作業所問題を取り上げます。昔からの言い伝えに「道を尋ねたければ盲人に聞け」とあるように、最も大きな困難を抱えた人が真実を捉えているからです。

存在していながら、存在していないことにされ、家の中にひそかに隠されていた障碍児・者の問題は、やっと今、その存在を承認される時代になりました。憲法には人権規定がありながら、教育からも生活からも排除されていた人たちが、いまやっと、普通の一人の人間として承認されるようになったのです。その陰には親や専門家や市民の、血の滲む苦労と闘いの積み重ねがあり、それが社会の承認基準を動かしたのだと私は理解しています。

愛知県の小牧市に、はじめての障碍者の授産施設(作業所)「すずかけ共同作業所」(以下、すずかけ)がつくられたのは、一九七九年のことでした。

「小牧市手をつなぐ親の会」(障碍児・者を持つ親の会)が、全国で進みつつある共同作業所(学校卒業後の障碍者が働く場)づくりの活動を知って、小牧市でも作業所をつくる活動を始めたのが事の起こりでした。それは障碍を持つわが子(他人の子も)が、親の死後も、社会保障制度に支えられ、人びとの助けを借りながら人間らしく生きていけるようにと願う、親たちの必死の活動でした。その姿に心を打たれた市民たちに共感の輪が広がっていき、またその運動が自分たちの人権保障とつながっていることに市民も気が付き、幸いにも志を持った献身的な障碍者作業所の指導者たちとの出会いもあって、今日のすずかけ共同作業所が存在することになりました。他の作業所も、似たような経過をたどったところが多いようです。

現在、障碍児は義務教育の中学まで、あるいは高校(高等部)までは、普通教育の中で学ぶことも、特別支援学校、特別支援学級、通級学級(ふだんは通常の学級に在籍し、一部の授業を別室で受ける)などで学ぶこともできる教育制度になっています。

しかし、そうなったのは最近のことで、振り返ってみれば、戦前、障碍児・者の養育・教育・ケアはすべて家族の責任として押し付けられ、公的な援助は全くありませんでした(公的扶助があったのは傷痍軍人に限られた)。家族は、障碍者を家の恥として、人目につかないように家の中に隠しました(たとえば精神疾患者の座敷牢については、『呉秀三・樫田五郎　精神病者私宅監置の実況(現代語訳)』医学書院、二〇一二年)。ケアのための労力も費用も、養育のための情報を得ることも、すべては家族・個人に背負わされ、毎日二四時間、心の休まるときはなかったでしょう。民間の篤志家による私的な救援の試みがわずかにありましたが、制度化されていない中で、戦争とも重なり、発展の道は閉ざされました。

一九四六年、日本国憲法ができ、人権、生存権、教育権が保障され、四七年には、教育基本法・学校教育法の公布によって、法律上は盲学校、ろう学校、養護学校の制度ができました。けれども、事実としては、ほとんどの場合、障碍児に対する就学「免除」、就学「猶予」の措置が取られ、障碍児のケアや教育を公的な「義務」と認めて、施策の対象とされることはありませんでした。

一九七九年、養護学校の義務化にともなってやっと、就学「猶予」や「免除」が廃止され、重度・重複障碍児も養護学校に入学できるようになります。二〇〇六年、学校教育法の一部が改正され、二〇〇七年から発達障碍も含めた広い範囲の障碍を持つ子どもが教育の対象となります。盲・ろう・養護学校は特別支援学校に一本化されて、今日に至っています。

障碍児に対する教育制度は改善されつつあるものの、学校卒業後、一般の子どもたちがさらに進学したり、就職して自立した生活を送ったり、仲間とともに労働を通じて能力を発達させ、社会との接点を持ち続けることができたのに比べて、卒業後、就業できなかった障碍児は、通学していたときのような規則正しい生活を送ることが、まず難しくなります。家に引きこもっている間に言語能力も行動能力も衰え、仲間と出会うこともなく、社会との接点も失って、笑顔のない暗い顔で、時には家庭の中でパニック状態に陥ることもありました。家族も疲弊して、共倒れになりそうな日々を一生懸命に生きたのです。

障害者雇用促進法はありますが、実際には適用される範囲もせまく、不十分です。障碍の重さや、健康状態、本人の能力や希望に応じて、一人ひとりに対応する仕事や学習が提供され、仲間と一緒に過ごせる障碍者の作業所が、絶対に必要でした。働けば、わずかであっても自分の力で報酬をもらえる、という生きがいも人間の喜びとして当然、与えられるべきでした。人権の立場からも、障碍者の作業所は待ったなしの要求だったのです。

「小牧市手をつなぐ親の会」の活動に対して、幸いにも「小牧ライオンズクラブ」が設立一五年記念事業として資金援助を申し出てくれました。小牧市内、舟津の一六〇平方メートルの借地に、中古のプレハブ五〇平方メートルの作業所が一九七八年一〇月にできあがり、指導員一人(河内士郎さん)が決まります。すべては自前の活動であるため公費補助はゼロ。同年一一月にバザーがひらかれましたが、その他と合わせて用意できたのは一年間の予算として一〇〇万円程度。河内さんの給料は一か月七万円(当時の福祉職一般の月給の三分の一)でした。その悪条件にもめげず、翌年の三月に開所する前段階として入所予定者たちが週に三回、火・木・土曜日に来て、ふれあいの場として交流し、仕事の事前体験をはじめました。

私はこのころから共同作業所全国連絡会(共作連、現・きょうされん)の活動を通してすずかけのことを知り、その後数回の講演会に呼ばれて作業所の変遷をみてきました。作業所が最初に請け負った仕事は、紙コップを一〇個ずつ重ねて一つにまとめ、ビニール袋に入れ包装する仕事でした。コップ一〇個が正確に数えられない子もいるので、段ボールの厚紙にコップの底に合わせた丸い形を一〇個分くりぬき、その厚紙を作業台の上にひろげて、くりぬいた円形に合わせて紙コップを順に置いていくことで、一〇個が確認できるようにしました。次に、そのコップを端から重ねていけば、一〇個の紙コップが一つにまとまり、ビニール袋で包装できる、という手順が考案されたのです。その作業の手間賃は一包につき八〇銭。作業する障碍児・者に一か月一〇〇〇円の報酬となりました。一九七九年三月一七日、当時の中学の養護学級や特殊学校や特殊学級を卒業した三人の子どもを迎え、作業所での学習と仕事が始まりました。

一人で三人の通所者（すずかけでは通所者は「仲間」と呼ばれています。このあとも「仲間」とは職員のことではなく、障碍を持つ利用者を指します）を見守り、指導する河内さんは、甲南大学の経済学部を卒業し、さらに日本福祉大学で福祉学を学びました。一九六九年に日本で最初の作業所をつくった「ゆたか福祉会」（前身は「名古屋グッドウイル工場」）を通じ、小牧で作業所の指導員を探していると聞いて、すずかけ共同作業所の指導員となったのです。人権意識と社会的正義感にあふれ、プロとしての責任感を持った河内さんと、ボランティアの主婦一人が協力して仕事を始めることになりました。

私が感心するのは、三人の入所者、一人の指導員、経済的基盤はゼロ、という出発にもかかわらず、すずかけ共同作業所は発足のときから、八人の運営委員会（手をつなぐ親の会会長、同副会長、同会計、中学校の特殊学級の主任の先生、障碍者の親、作業所職員）を立ち上げ、当初から『すずかけだより』（のちに『すずかけの樹』）という、家族や外に向かってのひらかれた作業所の機関紙を発行し、愛知障害者作業所連絡会（愛作連、現・あいされん）にも加入したことです。出発時点から民主的でひらかれた組織を設立していたことは、将来への継続と発展に向けての強い意思表示だったと推察できます。その責任感がなければ、作業所の今日はありえなかったことでしょう。後に小牧市長とトラブルがあったときにも、この組織の民主的な討議があって、民主的な手続きを踏み、正しい道を迷わずに進むことができた、と当時の職員は話しています。

作業所はバザーや廃品回収や街頭募金など、親・職員ともども汗を流しての資金づくりをしなければなりませんでした。それでも、その志に共感した市民からの支援があり、市民の手作りの品や、不用品、新車に買い替えたため乗らなくなった中古の乗用車やピアノまでがバザーに寄付されて、作業所にとっては大きな資金源となりました。

障碍児の親たちは言っています。

「初めは半信半疑でした。この子たちが、ほんとうに仕事ができるようになるのだろうかってね」

「中学時代は、学校に行くのをいやがることがよくありました。でも作業所へは毎朝、バスの出発時間を待ちかねるようにして家を出るんですよ」

「家では暗い顔をして、ただ黙っていたのに、近ごろはよく笑うんです。この間なんか、ラジオで交通事故のニュース聞いて、「お父さんも、バイク気をつけてね」って……」

「ノブ君も、作業所がよほど気に入ったらしいです。夏ごろ、家にお金がなくて、バスの定期券が買えなかったことがあるんです。足が不自由なのに、三十分もかかるところを、毎日歩いて通いました。作業所へ着いた時は、体じゅう汗びっしょりだったそうですよ」

（『朝日新聞』一九七九年一〇月一日）

「作業所の設立の時からわが子を預けながら、でも初めは身を粉にして障碍者のために働く指導者たちが不思議でした。どんな障碍を持つ人でも一人一人の人間としてみなければ。私は指導員からそう教えられ、一緒にやっていこうと思いました」

「あれだけ暗くいじけた娘が半年一年と別人のような変わりようです。作業所にどれだけ感謝したかわかりません」

（『愛知民報』一九八八年七月一〇日）

すずかけの信念は、無認可の民間作業所であっても、人権の保障という社会的に最も必要なサービスを、すずかけが行政に代わってやっているのだから、そのサービスを本来実施すべき行政の公的政策につなげなければならない、という考えに立っていました。そのためには、住民が支払った税金を住民の福祉に振り向けるよう、要請しつづけることが、障碍者を助ける仕事をしている自分たちの義務だと考えていました。

理論編で述べたように、政府が民間の善意を生きがい搾取して、本来、公共がやるべきサービスを怠け、行政の肩代わりをしている善意のボランティアに頭を下げさせて、国や自治体が、わずかの補助金を出し、有難がらせるという姿勢をとることが普通だったのですが、すずかけは国や自治体に頭を下げ、わずかの補助金を有難がるという姿勢をとりませんでした。私が手元に持っている資料を見ても、小牧市と市議会への陳情、要望が一六回にわたり記録されています。署名を集めての陳情は、大きなエネルギーと時間を必要とします。その他にも、議員や担当課長の一人ひとりに説明に行くなどしています。市民運動の経験がある私には、それらがどんなに大きなエネルギーと時間を要するものか、生半可なものでないことが分かります。開発志向から福祉への行政転換は、「コンクリートから人へ」の転換でもあり、ゼネコンと政治の癒着を正しい関係に変え、公開された公共の議場での討議に転換することでもあります。それには個人の尊厳への地殻変動を起こす必要がありました。障碍者の作業所を拠点として、そのことに挑戦しているすずかけの強い意思を、市民も感じたに違いありません。

ところが、一九七九年、資金ゼロ、しかもプレハブの共同作業所に、不動産取得税、固定資産税、都市計画税、合計三万七八九〇円の税金がかけられます。作業所の実情を説明しても、免税にはならず、作業所はやむを得ず、税金を納めます。

しかし、小牧市への公費補助の陳情をくり返して、翌年の一九八〇年には小牧市初の補助金(委託料)、年額一〇九万五〇〇〇円が支給され、作業所の固定資産税、都市計画税も非課税となりました。

一九八〇年、入所者(仲間)八人、職員二人。公費補助率三五%。

この年、河内さん一人だった指導員が二人になります。新しく加わった枡谷好信《ますたによしのぶ》さんは、「ゆたか作業所」で働きたかったのですが叶わず、すずかけに来ることになりました。その枡谷さんは、休日にも自主財源づくりのために廃品回収を朝から晩まで行なうという厳しさを体験して、三年勤めたら辞めようと思っていたそうです。さらに、プレハブの作業場は夏は暑く、設備も十分でなく、月給は七万円となれば、長居をしたくない気持ちもわかります。けれども、働いている職員や親たちや、障碍児の姿に接して、すずかけの理念を経験するうちに、結局、枡谷さんは四五年間、すずかけで働いています。押し寄せてくる仕事がつぎつぎにあったので、辞めることを忘れたのだそうです。「七万円でどうやって生活していたんですか」と質問すると、「食事に呼んでくれる人が多かった」と禅僧の托鉢《たくはつ》のような答えでした。河内さんは妻が働いていたので、それでやりくりをしていたということです。

八一年に、入所者(仲間)は九人、職員二人。プレハブの作業所は狭すぎ、障害児母子通園施設「あさひ学園」の併設施設として市が建てた「ふれあいの家」に移転します。光熱水費が市の負担となりました。公費補助率四六%。

八二年には仲間は一四人、職員は三人となります。公費補助率五九%。

八三年には一八人の入所者(仲間)、公費補助率四六%。

八四年には、仲間二〇人、職員三人。小牧市が新しく建設した作業所専用施設に移転、公費補助率三八%。

ここまでは苦労の甲斐あって軌道に乗ってきた事業でしたが、思いがけないことが起こります。一九八四年、市当局から、運営委員会に行政関係者三人を参加させるようにと強引に要請されたのです。「作業所のことをもっとよく知りたい」「作業所の今後の運営について考えたい」という理由で、小牧市の福祉課長、小牧市社会福祉協議会会長、小牧市ふれあいの家施設長の三人が運営委員会に参加することになりました。

運営委員会のなかでは賛否両論があり、行政からの援助を期待して、作業所の将来について前向きに話し合えるならいいではないか、という援助期待意見と、慎重意見とに分かれました。慎重意見としては、①運営委員会は個人参加資格で、決定権をもち即決することもある。個人でない組織の代表にそれができるのか、②市の委託料と作業所の運営費予算の審議に公正に参加できるのか、③陳情、請願、委託料増額の要求運動にも参加できるのか、④運営委員会の決定に従えるのか、⑤真に障碍者の立場に立てるのか、などが疑問として出されました。

それでも一九八四年から八八年まで四年間、この三人は運営委員会の委員として籍を置きつづけ、すずかけの運営体制や運営の在り方を抜本的に改変するよう主張しつづけました。その結果は、小牧市が施設建設用地や建設費を全面的に支援して新しく設立し、ある社会福祉法人に運営を委託した「I授産所」という新施設が開所され、それと同時に、これまですずかけに通っていた障碍児・者のうち、半分の一一人がI授産所に移り、それとまた同時に小牧市がすずかけに支払っていた年間の委託料を一四〇万円減額することが小牧市の福祉課長から言い渡されたのです。そして行政関係者の三人は運営委員会から去ったのでした。

作業所の理念と目的に対して明確な一致がないのに、行政だから助けてくれるだろうというような期待だけで運営に参加してもらうべきではなかった、という苦い教訓だけが残りました。

しかし年間四八九万円の委託料の中から一四〇万円もの減額は、作業所にとっては致命的でした。指導員の人件費の一人分が減額されたからです。三人の指導員のうち一人を解雇しなければなりません。一一人の入所者がI授産所に移籍した結果、すずかけに残る入所者の数は減ったとはいっても、入所者の中には重度の仲間もいました。やがてはまた新しい入所者がすずかけに入所するかもしれません。そのとき、いったん解雇した人に復職してもらうことは不可能です。解雇された人はすでに他の職場に就職しているかもしれません。すずかけの理念に共鳴し、障碍を持った仲間との信頼を長期間にわたって築いてきた指導員を解雇することは、どうしても避けなければなりませんでした。

小牧市役所に、それらの切実な事情を説明して、減額を思いとどまるように要請することになりました。開所以来のすずかけの苦労と、障碍者からの厚い信頼は、ひろく認められていたからです。そのうえ減額前の四八九万円は、すでに小牧市議会の議決を通って予算が成立していたという事実もありました。障碍児の親の会からも、障碍者本人からも、一般市民からも、小牧市に減額停止の要望がいくつも出されました。しかし、小牧市長の言い分は、入所者の数が減れば減額は当たり前、すずかけ作業所の方で経営努力をすべきだ、という取り付く島もない答えでした(つまり、I授産所をつくり、すずかけをつぶすことが市長の目的だった、と巷間でいわれています)。

いったい三人の小牧市の関係者は、何のために運営委員会に参加していたのでしょうか。

小牧市長の作業所に対する考え方と、すずかけ共同作業所の理念とは、大きく違っていました。運営委員会に参加した行政関係者の三人は、すずかけのやり方に対して次のように忠告していたのです。

①障碍の重い人を入れるから、職員の手が足りなくなる。定員や入所基準をつくるべきだ。

②入所者が回転せずにたまる一方では困る。発達(入所者の人格的発達という教育理念)よりも訓練やしつけを厳しくして、早く社会へ出すべきだ。

③職員が運営委員であるのはおかしい。親の運営委員も多すぎる。
④職員を増やさずに、入所者にケガがない程度に現員で対応すべきだ。
⑤行政に作業所運営についての公的責任はない。作業所のない市町村もある。
⑥陳情や公開質問状は好ましくない。このようなやり方は作業所の将来のためによくない。
⑦職員は共作連や、愛作連よりも、すずかけに力を入れるべきだ。

以上から、小牧市の運営方針は、すずかけのそれとは全く違っていることが分かります。

①について、すずかけは、入所希望者を選別することはしませんでした。他の施設では引き受けない重度の人も受け入れていました。今では筋萎縮症で移動式ベッドに寝ている人も、二人受け入れています。そのうちの一人は森田祐介さんで、医学的には短命だと思われていたのに、特別支援学校の高等部を卒業して、本人の希望で、すずかけに入所しました。コンピュータの操作はできたので、作業所の製品にイラストを入れたり、絵をかいたり、製品を宣伝して、販売の促進をしたり、卵のパック詰め仕事を手伝ったりしています。「もっとやる、もっとやる」と、やる気満々で、できることをやっていたようです。

嚥下《えんげ》が困難になっていて、すでに胃ろうをつけている祐介さんのことを、お母さんは「家で食事をするとすぐに疲れて、少ししか食べられないけど、作業所で一緒に食事をすると、仲間とおいしいおいしいと言ってよく食べてくれます」「だんだん筋肉の力が落ちて、昨日できたことも、今日はできなくなるのに愚痴ひとつ言わずに、できることで補って生きている姿に、親の方が教えられます」と述べています。

私が四年前にこの親子に会ったときには、「移動式ベッドや車いすからでも、祐介は草むらの四葉のクローバーを目ざとく見つける才能があるんですよ。暉峻さんが幸せなようにと、押し花にして透明なプラスチックで挟み、栞《しおり》にしました」と言って、祐介さんがコンピュータで描いた線画の本『ぼくのこえがきこえるの?』(森田いずみ編、ブイツーソリューション、二〇一八年)と一緒に、私にプレゼントしてくれました。

祐介さんのお祖母さんは、障碍のある孫をいとおしく思い、とてもかわいがっていましたが、数年前にがんで亡くなりました。亡くなる一週間前から、祐介さんとお母さんは、お祖母さんと同じ部屋で寝起きして、お祖母さんの最期を看取ります。祐介さんはお祖母さんに頬ずりをしたり、お祖母さんと手をつないで眠ったり、「お祖母さんはお水を飲みたいんだよ」とお母さんに教えたりしました。お祖母さんは夢の中で、目をつぶると色とりどりのシャボン玉が風に浮かんでいるのが見えて、その一つがはじけるたびに、祐介さんの「ばあちゃん元気」とか、「また旅行に行こうね」という声が聞こえると言って喜んでいたそうです。最後に大きな呼吸を一つして「ありがとう」という言葉で息を引き取られたとか。

「祐介には不思議に人を幸せにする力があります」とお母さんは言います。私も四葉のクローバーの栞を本のページに挟んで、見るたびに幸せな気持ちになります。祐介さん自身は、ほとんど体を動かすことができないのに、他人の幸せを思いやる心のゆとりがあることに驚き、熱い気持ちが込み上げてきます。

小牧市が言うように、「働けそうにない障碍者は、入所させるな(そういう人に作業所の金も人手もかけるべきでない)」という哲学は、すずかけにはとうてい許容できないものでした。

すずかけは、どんな重度の障碍者であっても人間には発達していく能力が潜んでいる、という専門家としての人間観を持っています。働くことは発達にとって役に立つ。できる/できないで比較する視点ではなく、今できていることの次にできるようになるのは何か、という教育の原点に立っています。発達の仕方は、重度障碍者であっても、普通の人とその道筋は変わらないといいます。親が驚いているように、作業所で子どもはしだいに変わっていきます。ある母親は、所内の冊子(『すずかけ10年の歩みとゆたかな未来を展望するために』一九八八年七月)に次のように書いています。


ダウン氏症候群。当時聞いたこともない病名を背負い、父と母を喜びから絶望へと追い込んで、悦子は生まれました。あれから二五年。手探りだったけれど、一生懸命、育ててきました。

元気な時は「今度、病気をしたら放っておこう。ひょっとすると、死んでしまうかもしれないから……」などと鬼の心になってみたり。でも、いざ、病気をすれば、どんな真夜中であろうと、何度病院まで走ったことか……。

そして一〇年前「すずかけ」での出会いがありました。仕事などできるはずがない、そんな親の思いを見事に裏切って悦子は成長しました。ことばが増え、私たちとの会話もしっかり受け答えできるようになり、今ではミシン仕事さえできるまでになったのです。自分に自信が持てるようになり、「私が休んだら作業所が困るから……」と、そんな責任感さえ出てきたのです。

悦子の大好きな仲間たち。職員のあたたかな愛情に見守られて、明るくのびのびと、そして心やさしく成長した仲間たち。

そんな仲間たちを見るたびに、私は思うのです。どのような障碍を持っていようと、未来にははばたく力があることを！

そして、みんなの願いや夢がいっぱい詰め込まれたこのすずかけを守っていくことのたいせつさを！

悦子の母

「発達（というような教育理念）よりも、厳しいしつけで社会復帰ができるようにすべきだ」という小牧市の教育論は、すずかけでは受け入れられないことだったでしょう。

民主主義を理解しない小牧市長にとって、すずかけは、他の作業所にくらべて、障碍者の人数に対して職員数が多く、毎年のように委託料の増額を求めてくる、議会に陳情したり要望書を出したり、質問事項を突き付けたり、署名活動や街頭宣伝や集会やビラ撒きなどで活動をひろげたり……と、やっかいな作業所だったようです。そのような市民運動は、手に負えない存在だったのでしょう。日本国憲法の一一条（基本的人権）、一三条（個人の尊厳）、二五条（生存権）や、国連の障碍者の権利に関する条約を日本も批准していることなどを広め、解説し、障碍者教育の専門知識も豊富なすずかけの集会には、一般の市民も参加することから、そうした市民運動がほかに広がることは、ワンマン市長の好むところではありませんでした。市民がすずかけ共同作業所に共感するのは、日ごろから、このワンマン市長に対する反感が市民の間にあったからでもあります(のちにこの市長は、収賄事件で逮捕され、市長を辞任します)。

こうして、その後の八か月にわたる、小牧市とすずかけの壮絶な闘いが始まりました。

小牧市長交渉、部課長交渉、課長交渉。要望書提出
市議会議員・県議会議員へ要望書提出。定例市議会の傍聴
市議会および全市議会議員に陳情書提出
各市議会議員との懇談・陳情
一号ビラ一万六〇〇〇枚、市内全域に配布
二号ビラ一万三〇〇〇枚、市内全域に配布
『すずかけだより』委託料減額特集号、六〇〇〇部を配布
街頭宣伝六か所
署名活動　個人署名七二〇一筆　団体署名二八団体
委託料減額反対集会。各団体を訪問し、実情を説明
委託料減額反対テレホンカードを作成・販売

愛知県民生部渉外援護課を訪問し、実情の説明

中部管区行政監査局に行政相談

親や職員は、一般市民の各戸訪問をして、資料やビラを渡して実情を説明して支援を要請

世論もワンマン市長の日常のやり方に対して批判が多く、すずかけには、応援と同情が多数寄せられました。「市が支援した、I授産所への助成は、入所者一人当たり年間一三〇万円を出しているのに、「すずかけ」には一人当たり年間三三万円しか出していないのは、同じ市民に対する差別ではないか」という批判や、「小牧では、すずかけに年間四八九万円しか補助していないが、県内の岩倉市は作業所には九六六万円、木曽川町は六四一万円を出している。その少ない四八九万円から一四〇万円も削るとは、職員や親が廃品回収やバザーなどで経費を補っている「すずかけ」に対して冷たすぎないか」「市民球場には四五億円、市庁舎の増新築には七〇億円も出しておきながら、なぜ一四〇万円が出せないのか」といった記事が、新聞にもひんぱんに載るようになりました。義憤に駆られたある地主が、「弱い者いじめをする市には駅前再開発の土地は売らない」と言い出し、それでは駅前再開発の目玉であるシンボルロードをつくれない、と小牧市役所も狼狽しました。

市側も困り、すずかけ側も、減額された残りの補助金三四九万九二〇〇円が凍結されたままでは、銀行から借り入れたとしても、いずれは職員に払う給与や入所者へのケアもできなくなります。そこで、減額は認めないながらも、ともかく減額後の委託料を受け取る契約書にサインしました。小牧市側も、減額は撤回しないが、もし、すずかけが法人認可の条件(建設用地の取得と自己資金等)をそろえ

ることができるならば市も法人化を認めるし、協力もする、ということを約束します。小牧市長は、そのとき、法人認可の条件をそろえることは、すずかけにはとてもできない、と高をくっていたようです。

しかし、すずかけはひるみませんでした。一億円を超える自己資金を集めたのです。個人や団体や、志を同じくする作業所や、新聞記事を見た人たちからの寄付が集まりました。いったん決まりそうになった土地が、土壇場で白紙となることもありましたが、すずかけの職員も親も支援者も、諦めず必死になって土地探しに奔走しました。そして、法人化申請締め切り間際の一九九〇年一〇月二〇日に、ある土地に可能性があることが分かり、申請書提出締め切り日の一〇月三一日に、〝拾う神〟となってくれた理解者の地主から、小牧市内の南外山字間島、名鉄小牧線沿線で小牧駅にも近い、田んぼを埋め立てた五六〇平方メートルの土地を購入することができたのです。

障碍者の施設というと、時には、設置に反対する周辺地域の人たちがいるものですが、今回は、地域の人たちも協力すると言ってくれました。作業所の所長、職員、そこに通う障碍児・者、親たち、支援者の市民、寄付してくれた人びとにとって、こんなにうれしいことはなかったでしょう。私もその話を知ったとき、思わず誰にともなく、ありがとう、と言ったのですから。

一九九一年七月一日、「すずかけ共同作業所」は、開所から一二年目に「すずかけ福祉会」として愛知県知事から社会福祉法人の認可を受けました。

狭かった作業所は、鉄筋コンクリート二階建ての五七五平方メートル、これまでの二倍以上の広さとなり、車いすの人のためのエレベーター付きで、てんかん発作などにも配慮して、床は全部木製となりました。定員は三〇人。それに対するスタッフは一〇人です。

二〇二三年六月末に私が訪問したときには、二か所の作業所のほかに、親が高齢化し、あるいは亡くなって、孤独になったときの生活拠点として念願だったグループホーム(すずかけホーム)「青空」「虹の家」「そよ風」「太陽」「大地」「すばる」の六か所、ヘルパーステーション「となり」、職員と四〜五人の障碍者が寝食を共にして、掃除、洗濯、料理、家事管理などの家事を身につけることができる生活自立の実習の家などが開設されていました。

すずかけ共同作業所は、将来構想として「障碍者の全生活・生涯を見通した施設づくり」を目指しており、親や家族に万一のことが起こっても、障碍児・者の人権が守られるようにと計画されていましたから、親も作業所の職員も安堵したことでしょう。作業所といっても、作業だけをしているわけではなく、障碍の軽重に応じて、算数の勉強、字を書く練習、音楽、絵を描く、近隣地域の散策、図書館訪問、自分たちでチームをつくって作業運びをスムースにするためのプロジェクトをつくるなど、チームごとに話し合いを重ね、人間として発達していくあらゆる局面を生活の中に取り入れて、行動を活性化させています。

けれども、作業所の仕事が、下請けの受注に頼っている部分については、発注元の都合に振り回されることを、覚悟しなければなりません。

作業所の発展を喜びながら、私には、一つの重い懸念が残りました。それは、障碍者が働いてわずかな報酬を得ている作業が、下請け作業になっている部分があることでした。

すずかけの障碍者の作業には、たとえば、下請けではないふきんをつくる作業があります。「きょうされんふきん」といって、蚊帳《かや》をつくる布地でふきんをつくります。新しく引っ越してきた周りの家への初対面の挨拶や、何かの記念日のお祝いなどに、従来はタオルが使われてきたようですが、挨拶の名刺につける粗品として「きょうされんふきん」も使われるようになりました。また、年末には障碍者が描いた絵を使ったカレンダーを売り出しており、その純粋な絵が、芸術的にも高い評価を得ています。それらは、作業所で編集され、加工されて売りに出されるので、付加価値が高く、下請け作業の受注のように、外からの注文に左右されずにすみます。しかし、障碍者ができる範囲の仕事で、さらに生きがいを感じられるような報酬を得られる仕事を、となると、外からの注文を恒常的に定着させなければなりません。

作業所は、社会保障制度によって守られてはいますが、作業をして金銭の報酬を得るには、部分的であれ商品の売買行為をしなければなりません。それは市場経済との接点でもあります。毎月数千円であっても、金銭の報酬を得ることは障碍者にとって自己肯定感を育み、社会との接点を持ち、生きがいや、好きな物が買える自由を得ることにつながります。難しくても、作業所にとってはなくてはならないものなのです。

すずかけは、二〇〇〇年から現在に至るまでトヨタの下請け会社から仕事を受注しています。段ボール箱にガラス板を入れて納品するときに、梱包したガラス板を損傷しないように、緩衝材を段ボール箱に設置する必要があります。その緩衝材を組み立てる仕事を、すずかけで受注しているのです。作業所ではこれまで、通所する軽度の障碍者、男女二〇人ほどがその仕事に従事していました。多いときには二〇人で一日一〇〇〇個から一二〇〇個を組み立て、作業に従事する通所者一人の毎月の報酬が一万四〇〇〇円ほどになりました。しかし、トヨタの車の製造数が減ると、緩衝材の組み立て発注数も減り、通所者の受け取る報酬も減ります。受注数が減るだけでなく、一個当たりの単価が一六円から八・五円に切り下げられました。市場の競争に負けないため、下請けがその犠牲を引き受けさせられることについては、以前から世論の批判があります。抵抗したくても下請けの立場は弱く、単価の切り下げを受け入れざるを得ません。下請けを犠牲にして、大企業の本社がもうけを維持する仕組みは批判されていても、それでも仕事が欲しい下請けは、受け入れるほかないのです。

すずかけは、障碍者が楽しみにしている報酬を引き下げるわけにはいかないので、貯金を崩して経営責任を果たすことになります。しかし、貯金はわずかしかなく、二〜三か月分しかありません。

作業所は、市からの委託料の減額に苦しみ、作業単価の切り下げにも苦しみながら、維持・継続され、作業所で働く障碍者の活気を失わないようにさまざまな工夫をしています。職員、親、後援会の人たちとの一〇〇人規模の合唱団もつくられ、お披露目の演奏会も開催されました。合唱の曲目は、作業所の職員の大川利美さんが、作業所の生活の中からつくった詩に、高校の教諭、藤村記一郎さんが曲をつけて、合唱の指導をしています。その中の一つ、「手紙」という歌は、歌っているうちに涙で歌えない、という人がいるほど、障碍者の悲しみを歌った曲です。

作業所に通っている障碍児・者たちが、作業所に来る途中で、普通校の小学生にからかわれたり、悪口を言われたり石を投げられたりして、作業所で大泣きして泣き止まない状態に心を痛め、指導員の大川さんは、朝、障碍児・者が作業所に来る途中の道を物陰から見守りました。そして、普通校の小学生にからかわれ、投石されて、「でぶ」や「豚」などと罵られる姿を目撃します。かなり大勢の子どもがいじめに参加しているようです。目撃した現場で怒り、叱ったとしても、おそらくそれはその場だけのことで終わり、大人がいないところではまた同じことをするでしょう。そう考えた大川さんは、いじめられる障碍児・者にとっても、いじめる子どもにとっても、その経験が将来の人生に意味を持つような解決の方法はないかと考えました。いじめる子どもに対しても、いじめはあくまでもその子の人生の発達過程の一つの局面だと考え、本人が後からふりかえったときには苦い思い出として後悔し、償いをしたいと思ってくれるような解決の仕方がないかと考えたのです。それは、いじめられる仲間(通所者)にとっても同じでした。

そこで大川さんは、作業所の障碍児・者に投石した小学校の子ども宛ての手紙を書くことを提案しました。障碍児・者たちはたどたどしい手紙を書いています。

【一通目】

どうして毎日のように　あなたたちは　私たちに　ひゃっかんでぶ　とか、おもしろいかお

とか　バカとか　いろんなことをいっているでしょう。

ときには　ほどうきょうの　うえから　ものをなげたりしているでしょう。

もし　あたまでも　あたって　けがをしたら　あなたたちが　ちゃんと　せきにんをとってくれるのですか。

もしあなたたちが　私たちのたちばだったら　やっぱり　いやな気持ちになると思いますよ

だれだってひとつは　けってんは　あると思うのです。

人にけってんをいわれると　だれでもいやな気持ちになると思いますよ！

いわれたら　はらがたつやら　くやしいやら　いやな気持ちに　なるしね。

ほかの人がいないと　私たちに　いろんなことをいったり　ほどうきょうから　ものをなげたり　するのをやめてください。

おねがいします！

私たちだってまいにちがんばって仕事をしているのですよ。

【二通目】

もしあなたたちが　人から　ほどうきょうのうえからものをなげられたり　いろんなことされたら　きっと私たちの気持ちがわかると　思いますよ。

人がいないからといって　私たちを　いじめるのはやめて下さい。

私たちが　あなたたちになにかしましたか？
私たちは　なにもやっていないのに　毎日のように　いうのはやめて下さい。

Mしょうがっこういじわるなことをいていました。

かおをみていじわるいてました。

男子たちがぶたといてます。私はおこっていました。いやだでした。やめてください。こまっていました。いしをなげてきます。先生にいうよといます。ゆるさないです。


この手紙を受け取ったM小学校の先生は、きっと人の心が分かる、経験を積んだ、心の温かな先生だったのでしょう。良くないことをした悪い生徒、と結論だけ言って叱ったり、石を投げた子に対して怒ったりしないで、どうして障碍が起こるのか、病気になったり事故にあったりして、誰でも障碍を持つようになるかもしれないこと、障碍を持って生まれた子どものいっしょう懸命な生き方を話してくださったのではないかと、子どものお詫びの返事から想像します。

M小学校の子どもたちから返事がきました。


あなたたちを見てわらってごめんなさい。もうそんなことはしませんのでゆるしてください。

すごく心を傷つけてしまったと思います。ほんとうにこれからは、わらったりしません。こんかいは、ゆるしてください。ごめんなさい。もうこんなことはしないのでゆるしてください。だからいつもどうりに作業所にきてください。もうわらうんじゃなく　おはようとあいさつしますのでごめんなさい。ゆるしてください。こんどあったときは、じぶんからあやまります。だからゆるしてください。

ぼくは本当に　あなたたちにとてもひつれいなことをしたと、とても反せいしています。ぼくは「でぶ」なんてあなたたちにいってしまいました。とても反せいしています。たんにんの先生から、あなたたちの手がみをよんでもらいました。本当にぼくは「わるいことをしたな」と今でも思っています。ぼくは、一からやりなおします。本当にごめんなさい。

いままでいじめてごめんなさい。これからはいじめません。

ぼくは、石を投げてなく、口でわる口をいっていました。いわないようにします。みんなも反省していると思うからわる口はださないと思うので安しんして仕事にいってください。さようなら。

ぜったいに　ぼくはこれから、たにんの人のみになって

こうどうしたいと思います。ほんとにほんとにごめんなさい。

これからもがんばってがんばってください。

一部始終を見ていた大川さんは、前述のように、子どもたちの言葉を「手紙」という詩にしました。そして、藤村先生が曲をつけたのです。

子供たちに伝えよう　こぼれおちた　涙
拾い集めて　一文字、一文字、思いをつなぐ
「私　何か　悪いことしましたか？　どうして石を投げるのですか？」
こぼれ落ちた　涙。この手に拾い上げて
子どもたちに送る初めての手紙

涙でこの歌が歌えないという母親たちは、きっと山あり谷ありの悲しく苦しかった障碍児との生活を思い出したのではないでしょうか。それを乗りこえて作業所に通っている幸せの涙かもしれません。
私はこの話を聞いたとき、障碍児の抱える困難も、失敗も、進歩がないように見える毎日も、発達の一段階として受け止め、温かく、見守り働きかけている「すずかけの哲学」が、子どものいじめに対しても無意識に発揮されて、子どもの発達につながっているのだと感じました。

小牧市長のような、厳しくしつけて早く社会復帰を、という価値観に対して、どんなに重い障碍を持っていても一人の人間として承認することから出発し、一人ひとりが持つ違いをそのまま認め活かして社会参加の機会を平等に実現していくことが、ここでは普通に行なわれているのです。筋萎縮症の通所者も、自分の希望でしっかりとした社会参加をしています。

四年ぶりに小牧を訪れた私は、現地を去る少し前に、前述した森田さんの親子と再会しました。移動式ベッドに横たわる祐介さんは、少し大人っぽくなった顔をしていました。私はお母さんの許可を得て、彼の手をとり、細い細い手を大事に掌《てのひら》に包んで、黙ったまま、祐介さんと見つめ合いました。以前と同じように、祐介さんの目は青みがかって澄み切ったきれいな瞳です。「四葉のクローバーをありがとう」と言うと、祐介さんは、私の顔をじっと見つめて、声を絞り出すように「また来てくださいい」と言いました。それだけの会話でしたが、そのなかに、私たちの何年ぶりかのすべてが込められているような気がしました。

所長の河内さんは、「祐介君は大きなしっかりした声で返事をしていたね」と嬉しそうでした。別れ際に、私は無意識のうちに手をのばして、祐介さんの額にかかった髪の毛を指先でそっと分けて、さよならの言葉の代わりにしました。

ひさしぶりの小牧訪問で、障碍児・者を通わせているご両親や、職員と自由な懇談をしたとき、「すずかけ共同作業所」がよくぞここまで来た、という気持ちが先立って、後から聞き残したことがいっぱいあることに気が付きました。

それでも私は、障碍児・者の保護者と懇談した最後に、「あなた方の長い苦労があって、ここまで来たわけですが、その間に社会の方がどう変わったと思いますか」と聞いてみました。短い沈黙の時間が過ぎた後、祐介さんのお母さんが手をあげて、「家族の障碍を隠さずに済む時代になりました」と言いました。なんというい言葉でしょう。障碍児・者も、私たちと同じ一人の人間として、社会がその存在を認めるようになったということです。もし隠されていれば公共サービスの対象となることもなく、周りにいる人たちも支援の手をさしのべることができません。その結果、生きるための困難はすべて本人と家族に押しつけられます。社会にとっても人権の尊さや連帯による問題解決という体験を持たないもろい社会になります。今では障碍のある息子を連れて外を歩いても、特別な目でじろじろ見られることが少なくなり、普通の人が「私は障碍を持った子どもを育てたことがないので、きっと理解が足りないと思いますけど、なにかお手伝いすることがあったら、いつでも言ってくださいね」と、向こうから声をかけてくださることが多くなった、とお母さんは付け加えました。

隠すことで身を守る社会と、ひらくことで身を守る社会とがあります。隠す社会は生きづらい社会で、ひらくことができる社会は、みんなの問題として社会的対応ができる、生きやすい社会だと思います。助けてと言いやすい社会になったとすれば、それは、相互承認しやすい社会になったからで、それぞれの人が違ったままで、社会参加ができる社会だといえるのではないでしょうか。社会参加者が広がれば広がるほど、人はいろいろな人に出会い、自分のアイデンティティを育てていくチャンスも増えます。それだけ幸福を感じるチャンスも増えるので、「隠す必要がない」という言葉に、私は社会の進歩を感じました。そしてそのように社会を変えた当事者たちの苦労と働きに、思いをめぐらせました。

このような社会の変化を、「世論が変わった」、という言い方をする人もいます。しかし、世論は、欺瞞的政治宣伝と世論操作でも変わり、マスメディアの権力忖度によっても変わり、「いいね！」でも変わります。他方で、社会的承認の変化は、すずかけの経緯からも分かるように、人びとの人間関係のなかで、さまざまな経験や学習が納得されながら積み上げられ、承認されて、人びととの連帯につながっていき、普遍的な考えとなっていく発展の過程があります。

承認とは、自分の判断が公正であるか、事実に間違いがないか、妥当性を持っているか、普遍性を持っているかと、自分と社会に問いながら判断していく行為です。独りよがりの判断ではなく、付和雷同でもなく、人間と人間の間の関係に媒介されて構築していくものです。

「承認する」の定義は、日本語も、英語の recognize も、フランス語の reconnaître も、ドイツ語の anerkennen も、事実に間違いがなく、正しいもの、真なるもの、妥当なものとしての、再認識を意味しています。しかし、正当または真実と認めるということは、精神的な価値判断を含んでいます。何が正しいかの価値判断をどうやって決めるのか。それはたぶん、それぞれの個人が社会参加によって相互承認の経験を重ねていく中で、対話や学習を積み、自分の価値判断が共通の福祉に反していないことを自然に納得するときではないかと思います。

5　教育における承認基準と登校拒否児の訴え

共同作業所の他にも、社会の承認基準を変えていった身近な例に、学校に対する生徒たちの登校拒否の問題があります。登校拒否の問題は一見すると、学校という制度を通して社会参加していた「機会の平等」から、個人が自分の意志で退避した例だと見られるでしょう。けれどもそれは学校教育の中に（あるいは日本の社会の中に）、能力というキーワードによる選別と排除の論理が根強くあり、子どもを追い詰めていることに大きな原因があるのではないでしょうか。そのことに対する子ども自身の、自らを守ろうとする自然な心身の反応が、登校拒否なのではないでしょうか。子どもの素直な感性が悲鳴を上げて苦しんでいるのを知って、その苦しみを真剣に受け止めた親と教育者たちが、これまで社会一般に許されなかった登校拒否という行為を、「不登校でもいいから、自分らしい道を歩いて！」と承認したのです。そして三〇年ほど前に「フリースクール」という、もうひとつの道をつくったのでした。

現在も、義務教育課程での不登校児・生徒の数は増えていく一方です。子どもたちは、本来なら仲間が欲しい年齢なのに、なぜ学校に行きたがらないのでしょう。

二〇二三年一〇月四日、文科省が公表した「児童生徒の問題行動・不登校等生徒指導上の諸課題に関する調査」によれば、全国の国公私立小・中学校で二〇二二年度に三〇日以上欠席した不登校児童生徒数は二九万九〇四八人で、一〇年連続の増加となり、この二年間は前年度より増加幅が二割を超え、あわせて約一〇万人の増加となりました。過去最多数になっています。理由はさまざまで、①無気力・不安、②生活リズムの乱れ、あそび、非行、③いじめを除く友人関係をめぐる問題、④親子の関わり方などの項目に分けられています。けれども一人ひとりの実例をたどったレポートなどを読むと、この項目の分類の仕方も、いちおうの便宜的なものではないかと思えます。小・中・高校生の年間の自死者は四一一人。不登校とは別に、小・中・高校などのいじめ認知件数は一〇・八%(六万六五九七件)増の六八万一九四八件で、過去最多となっています。

この統計を見て反射的に心に浮かぶのは、子どもだけでなく、過労で精神疾患的休職の先生の数も多いことです。教師と子どもの両方に拒否反応を起こさせている学校とは、どんな教育環境にあるのでしょうか。もともと現場の先生の絶対数が足りないのです。二〇二三年四月の始業日時点で調査した小学校一二四三校、中学校五四二校のうち、小学校の二〇・五%、中学校の二五・四%で不足。そのうちさらに二人以上不足している学校が、小学校で四・九%、中学校で七・六%。中学校では、欠員が生じている教科の免許を保有している教員がおらず、臨時免許の発行で対処しているのが現状といいます(大学教授らの調査による、『朝日新聞』二〇二三年五月一〇日)。教師たちは過労死すれすれの超過労働をしています。定年退職した教師のあとに、新しく教師を採用しようとしても、教職は敬遠されて志望者そのものが足りていない。生徒数に対する先生の数が足りず、不十分な授業しかできていないだけでなく、一人ひとりの子どもに対する配慮が行き届かない。職員室の空気も余裕がないのでギスギスしている。この状況は新聞にもしばしば取り上げられているのに、国づくりの基本政策ともいえる義務教育の教師の数さえ整えられない日本政府の価値観とは、いったい何だろうかと思います。日本の将来に対して人びとが不安感を持つのも、当然です。

過労死するほど忙しい学校で、人間である先生が、いじめや不登校問題に丁寧に向き合える余裕はないでしょう。一人ひとりの子どもが、自分のかけがえのない価値に目覚めるという、教育本来の目的はどこかにいってしまい、教師が忙しくなればなるほど、生徒や保護者が教師と一対一で接する心と時間の余裕が失われ、問題が起こらないように規則で管理を強化しようとします。遅刻はだめ、忘れ物はだめ、宿題はやったか、掃除当番を怠けていないか、給食当番のエプロンや三角巾は清潔か、文房具や靴やユニフォームに名前は記入されているか、給食用のナプキンを持ってきたか……などの限りない規則があり、学科のテストの結果が順位づけされて、それが子どもの人格に対する評価にもなっているのです。そういう学校教育に対して、子どもたちの方から、生きづらさの極限を感じて抵抗が起こったのは、当然な気がします。絶えずテストされ、点検され、規則で縛られ、先生に欠点を注意され、友人との信頼関係さえ築けないつらい学校に、なぜ毎日行かなくてはならないのか、大人でも他人から一生評価され続ける人生は楽しくないでしょう。

登校するのが当たり前という世間の常識を相手に、親からも先生からも本当の気持ちを理解されず、一人で闘わなければならなかった子どものストレスはどんなに大きかったことでしょう。子どもは自分でも登校したいと努力しているのに、体がついてこないのです。前の晩には明日は行くと言って、ランドセルの準備をしても、いざ登校時間になって出かけるときになると、体が動かない、腹痛や発熱、嘔吐などが起きて、痩せて、暗い顔をして、自分の部屋に引きこもります。

親は親で、子どもが登校拒否をすると、その理由が分からずに、狼狽します。子どものわがままか、辛抱強さが足りないか、何か学校で叱られるようなことでもしたのか、いじめられたのか、他の子どもは我慢して登校しているのに……もし、不登校が続けば勉強も遅れるし、上の学校にも進めない、まともに大学を出なければ就職もできない、世間からどう思われるか、親の教育が悪い、小児精神病ではないかなどとクラスで遠ざけられるのではないか、何よりも登校しない理由が分からない……。

親は無理に子どもを連れて学校に行かせようとします。自転車に乗せて送りとどけ、家に帰ってこないように、家の中からカギをかけて入れないようにする、いろいろ言い聞かせたり叱ったりして学校には行くべきだと諭します。親も心配で小児精神科に連れて行き、薬を処方してもらうけれど、改善しない……。

評論家の俵萌子《たわらもえこ》が代表となっていた「女性による民間教育審議会」(一九八四〜八七年の中曽根康弘首相主導で設置された臨時教育審議会を監視し、提言するという目的でつくられた)の「教育110番電話相談」の窓口で、私も相談を担当していたので、親子の苦しみを、何度も何度も聞きました。私自身も自分の子どもが六歳の学齢に達して学校に行くようになったとき、それを喜ぶと同時に、共働きである自分たちの生活を大きく変えなければならなかったことに驚きました。就学前には子どもを叱ることがほとんどなかった楽しい毎日だったのに、学校に行くようになってからは毎日緊張し、楽しかった親子の日々は、「早く」「しっかりして」ばかり言うことが多い日々に急変しました。宿題はしたか、明日は書き取りのテストがある、ノートの検閲がある、読んだ本の感想を書かねばならない……。学校とはこんなに過労を強いる場なのかと思ったものです。後から思うとその緊張感は、むしろ親同士の間で発生していたのかもしれません。ある日、保護者会の後、あまりにあっという間にほとんど誰もいなくなったので、なぜかと尋ねてみたところ、その日はある有名な学習塾の入塾締め切り日で親の面接もあるから、と聞かされて驚いたこともあります。

私が学んだ戦前の義務教育は、一八九〇年(明治二三年)の教育勅語にのっとって「学を修め　業を習い　以て智能を啓発し　徳器《とくき》を成就し……一旦緩急あれば義勇公に奉じ以て天壌無窮《てんじょうむきゅう》の皇運を扶翼《ふよく》すべし」という勅令によって定められていたので、臣民の義務として、父母も子どもも、学校には絶対に行かなければならないと思っていました。「不登校」という選択肢はありませんでした(実際には地域に学校そのものがなかったり、貧困のために登校できない子どももいました)。日本の公教育は子ども本人ではなく、富国強兵のための手段なのでした。それが功を奏して、忠君愛国、挙国一致で戦争に突入したとき、それを疑う人も反対する人もいませんでした。

戦後の憲法と学校教育法は、国民には教育を受ける権利があることを明記し、この権利を守るために、国と保護者に子どもを就学させる義務を課しました(憲法二六条、教育基本法五条、学校教育法一六条・一七条)。一五歳までの子どもを学校に通わせずに働かせたり、虐待して通わせなかったりすることがないように、学校に通わせ、教育を受ける権利を保障したのです。けれども子ども一人ひとりにとって何が最善かを考える教育の発想は、戦後も、主流となって定着することはなかったと思います。文部省（当時）―教育委員会―校長の下にある学校の先生は、子どもや保護者にとってはやはり大きな権力を持つ存在で（子どもを人質に取られている）、学校でのテストの成績が悪かったり先生に叱られたりすると、家庭でも親は学校の規範に合わせて子どもの不勉強や行動を咎めることになります。学校は〝コワーイところ〟でした。

戦後、私は渋谷区富ヶ谷にある彫刻家の佐藤忠良のアトリエの近くに住んでいたことがあり、そのアトリエを借りて、地域の集まりをしたこともありました。そのとき、そこに出入りする彫刻家の朝倉文夫の長女で舞台芸術家の朝倉摂さんとも、話をする機会がありました。摂さんから、父親の教育方針で、自分は小学校から義務教育を受けておらず、家庭で個人教育を受けたと聞き、びっくりしたことを覚えています。学校に行かない、そんなことがあり得たのかと驚いたのです（もっとも摂さん本人は、よその子が行っている一般の小学校に行きたかったとか）。

教育勅語時代の私にも小学校の楽しい思い出があります。まだ大正デモクラシーの余韻が残っていた時代だったので、綴り方教育に熱心だった先生が、教科書がない自由な作文の時間に、ワクワクするような面白い本を読んでくださったし、一人ひとりの子どもに、空想する自由や、自分の思いを詩や文章にする愉しみを教えてくださいました。どの子が書いた作文も、いいところを見つけて褒めてくださったので、子どもたちは書くことに自信を持つようになりました。朗読する楽しみも覚えました。とても楽しい時間でした。一人ひとりを大事にするという教育が、いつまでも楽しい思い出として残っているのは、それがほんものの教育だったからでしょう。私はいまも本を読むのが好きで、書くことにも抵抗がなく、読み書きが自然な行為として苦にならないのは、綴り方教育のおかげかなと思っています。何かの手段として教育されることと、それぞれの子どもが、自分の価値に目覚めるような教育が行なわれることとは、本質的に違うのです。教育は、あとあとまで、それぞれの人生の生き方や社会とのかかわりに大きな影響を与えます。目先にすぐ効果を採点できるものではありません。人間という人格の発達は、本当に不思議で多様です。

戦後の一九六三年に経済審議会が答申した、「経済発展における人的能力開発の課題と対策」で、「ハイタレント・マンパワー政策」が提言されました。経済の発達成長には、能力に応じたエリート教育が必要で、多様な人材を必要とする現実に対応する政策だといわれました。それに応じて多様な学科や課程を持つ職業高校が編成されましたが、生徒たちの多様な個性の成長に役立つ教育制度になったとはいえません。逆に、学力試験と偏差値という画一的な能力評価による選抜が、激しい受験競争を引き起こし、児童・生徒たちを苦しめたと思います。

その後も、生涯学習の視点や、個性の重視や、変化への対応などさまざまな教育審議会の答申が行なわれましたが、一貫して流れているのは能力評価という社会的管理の発想です。能力主義を原理とする社会では、多様性といっても、それは偏差値による階層化であり序列化で、選別と排除の思想です。人的能力の開発といわれていますが、そもそも、人間の能力とは何でしょうか。長い間大学というところにいて、しばしば考えたものです。

できる／できない、速い／遅い、役に立つ／役に立たない、という能力の差別化があります。試験の点数が良ければ能力あり、ということになるのでしょうか。学歴社会の入学試験では試験の点数が能力と認められているようです。その理由は、能力が高い人は努力したからだと思われているからではないでしょうか。しかし、努力と能力は重なっているところもありますが、努力したから能力が高くなるとは必ずしもいえません。実際に努力してもできないことはあります。努力してもできないことを経験した子どもは、生まれつき頭が悪いからとか、運動神経が鈍いからとか、暗記力が弱いし不器用だからといって、友だちと比べて諦めるようです。けれども人間には、できる時とできない時があり、時間が経てば苦労せずなんとなくできることもあります。

ふつう、世間で能力がある人と認められるのは、相手から何を要求されているかが分かり、相手の要求に応えることができる人のことではないかと思います。つまり、能力があるかないかは、採点者や上司や他者によって決められ、時代が変わり社会が変わり、求められるものが変われば、それに従って、能力の認められ方もまた変わります。本章3節で紹介した『母の大罪』も、戦争中の要求に一〇〇%応じようとした息子の悲劇でした。時代の要求は変わるものだ、という相対的な価値観を持たなかった母親の悲劇でもありました。

入学試験の成績が良ければいい大学に進学できる。いい大学を出れば、いい就職先が得られるというので、子どもたちは試験の成績を上げるように尻を叩かれます。しかし、就職しても、有能だと認められるか認められないかは、相手方しだいです。それによって収入も変わるでしょう。正しいか正しくないかではなく、上司への忖度が優先されるかもしれません。

日本では能力についての判断が経済界からの人材要求によって動かされるので、子どものときから、試験の結果と、速くできることが能力として大切だと思われています。しかし、経済界イコール社会ではありません。それは社会の中の、大きくはあっても一部分です。子どもの持つ能力は多様で秘蔵された宝のようなものですが、社会の要求が単一で偏りがあると、学校も親も、それに合わせてテストの点数が能力だと思ってしまうのではないでしょうか。学校教育に対する人びとの期待は、経済発展に資する人間を育てることだけではありません。人間の社会が抱える欠陥を改革し、変革していく志を持った人間を育ててほしいと思う人もいるでしょう。社会福祉に貢献する人や芸術的才能を開花させる教育に期待する人もいます。

メリトクラシー(能力主義)という言葉を一九五八年に『メリトクラシーの台頭』という本で社会にひろめたマイケル・D・ヤング(イギリスの社会学者・政治家)は、メリトクラシーという言葉を批判されるべきものとして用いていたようです(市野川容孝「能力主義を問いなおす」池田賢市ほか『能力2040』太田出版、二〇二〇年)。たしかに生まれや、世襲、コネ、権力などによって、地位や権限や所得が決められるよりは、業績・能力によって決められた方が、公平で民主的だと思われます。しかし、能力主義によって、新しい不平等や支配が生み出されることが当初からすでに警告されていたのです。メリトクラシーはデモクラシーに反すると考えられていました。とくに個人単位で能力査定をする職場では、個人間の競争が煽られ、お互いが補い合い、連帯することによって成果を上げるという人間関係のもたらす効果が忘れられます。能力主義は、労働運動を衰退させる、ともいわれています。

市野川は、医学モデルと社会モデルという障碍学の考え方を紹介しています。たとえば、「あの人はなぜ電車を使わないのか」という問いに、医学モデルでは、「あの人は足が悪くて階段が登れないからだ」と答えます。それに対して、社会モデルでは、「車椅子の人が使えるエレベーターが駅にないからだ」と答えます。能力に対しての多様な尺度と考え方があるという例です。できることとできないことを個人の責任にするのではなく、個人を取り巻く社会との関係で考える、という視点です。たまたま『朝日新聞』(二〇二三年八月三〇日夕刊)の記事に、コクヨという文具大手のメーカーが障碍者を雇用するにあたって、障碍者が使いやすいオフィスをつくったという記事と写真が出ていました。雇用の質を向上させるために障碍者自身の声を取り入れてつくられたオフィスで、一般の人にも、それぞれの個性に応じて働きやすそうなオフィスです。

個人を取り巻く社会との関係で個人の能力を考えるという視点については、思い出すことがあります。子どもの権利条約についての研究会で、まだ未熟な子どもに対して意見表明権を与える、ということの意味についての討論が行なわれました。しかし、そのときも、子ども個人だけに視点をしぼるのではなく、子どもを取り巻く人間関係が重要なのだ、という議論に落ち着いたことを思い出します。日本の社会では能力主義を全く単純に民主的な制度だと考えている傾向が非常に強いと思います。しかし、能力主義は優生思想とも結びつきやすく、津久井やまゆり園事件の犯人の理屈も形式的には能力主義の主張でした。しかし、彼の主張の裏には大規模な施設が重度・中度・軽度という能力別に区分けした管理をしていることが影響していたのではないかという識者もいます（佐藤彰一「社会的排除障害者の場合」『法社会学』第八五号、二〇一九年）。

子どもたちはさまざまな能力を秘めており、それが発揮されるまでには、ある長い時間と社会と人間関係を必要とします。促成栽培的な成果だけを評価するのは、目先の得にすぎず、長い目で見れば大きな損です。子どもたちをもっと大きな愛情と期待で見守る義務が大人たちにはあります。

登校拒否は理屈でなく、人間性に反する社会にすんなり順応できない感受性の鋭い子どもの、大人たちへの根本的な疑問の表出だったのです。そしてその答えは大人から、いまだに得られていません。

他方で、登校拒否した子どもにとって、すぐさま必要になったのは学校以外の居場所でした。子どもの立場からの自発的な学びの場でした。そして、登校拒否児の親たちは、突発的な子どもの行動に戸惑いながらも、親同士でその理由を理解しようとして、語り合い、やがて連帯して、志ある教育者たちとともに、子どもの居場所、仲間と出会うところ、子どもの立場に立って自発的に学べる拠点を全国的につくる努力をしたのでした。「すべては子どものために」でした。それはフリースクールであったり、老人ホームの食堂を空き時間に使わせてもらう学びの場所であったり、ビルやお店の一室であったりしました。その中で、親たちは、これまで教育といえば学校がすべてであった日本社会の教育観を徐々に変えていくことになったのです。

登校拒否をしている子どもの親の一人は、子どもはいわば社会の流れとは反対の方向にいるわけだから、社会の中の存在として弱い立場にあり、それだけでも子どもは心と体に計り知れない負担を背負っているので、そんな子どもに対してたてまえではない本音の言葉と行動で対したい、と言っています(増田ユリヤ『「新」学校百景　フリースクール探訪記』オクムラ書店、一九九九年)。親子の愛情や美談を一般論的に持ち出すことには私自身、抵抗があるのですが、それでも私は共同作業所やフリースクールの設立の経緯を見ていると、母親の真剣で必死な決意と行動がなかったら、「これまでの我が国の教育の根深い病弊である画一性、硬直性、閉鎖性、非国際性」(臨時教育審議会「教育改革に関する第一次答申」一九八五年)と対峙し、それだけでなく、政党や経済界からの教育介入が強い日本の教育制度を、誰が変えていけただろうかと思います。さらに、社会を覆う能力主義と呼ばれる承認基準を、これからどのように改善していけるだろうかとも思います。

それでも、社会は遅まきながら少しずつ変わっていきました。

「登校拒否を考える各地の会ネットワーク」(現・登校拒否・不登校を考える全国ネットワーク)が発足したのが一九九〇年ですから、不登校問題に対する国会や文科省の対応はかなり遅れています。けれども以下に挙げる国会での立法化や文科省の通達を読むと、登校拒否が誰にでも起こりうることが認められ、学校以外で学ぶ場を自由につくる環境がともかくも認められるようになったことが分かります。しかし、フリースクールに通う子どもの家庭や、フリースクールに対する地方自治体の支援はまだまちまちで、不足しています。

・二〇一六年七月、「不登校に関する調査研究協力者会議」（文科省初等中等教育局長の諮問機関、二〇一五年一月発足）の報告書には、「不登校については、児童生徒本人に起因する特有の事情によって起こるものとして全てを捉えるのではなく、取り巻く環境によっては、どの児童生徒にも起こり得ることとして捉える必要がある」「多様な要因・背景により、結果として不登校状態になっているということであり、その行為を「問題行動」と判断してはいけない。不登校の児童生徒が悪いという根強い偏見を払拭し」と書かれています。

・二〇一六年一一月一八日、「義務教育の段階における普通教育に相当する教育の機会の確保等に関する法律」（衆議院文部科学委員会で可決）の附帯決議には、「不登校は学校生活その他の様々な要因によって生じるものであり、どの児童生徒にも起こり得るものであるとの視点に立って、不登校が当該児童生徒に起因するものと一般に受け取られないよう、また、不登校というだけで問題行動であると受け取られないよう配慮すること」と記されています。

・二〇一九年一〇月二五日、文科省初等中等教育局長の通知「不登校児童生徒への支援の在り方について」によると、学校外でもＩＣＴ（情報通信技術）を活用した自宅などでの学習活動を行なうことを、学校内の学習と同等のものとして認めています。学校外の学びの場を認めて、校長裁量で、民間施設での出席を学校出席日数に加えてよいことにもなりました。

義務教育についての弾力的解釈は、以前から行なわれていて、義務教育の場は学校でなければならないという法律はありません。

それでも、登校拒否の生徒が、学校外で学び生活する日数を一般的な学校教育と同じように、校長の裁量で認められるようになったのは、やはり大きな変化だと思います。不登校児が増えていく流れを止めようもない現実に対応したのでしょう。

親たちが、文科省や国会に先行して、独自のフリースクールやＮＰＯ活動の実績を積み重ねていなかったら、後追いであっても、文科省が義務教育制度の自由化を認めることは困難だったでしょう。子どもの立場に立って行動した親や教育者の、事実上の先行実績でした。

しかし問題は、親たちが負担する教育費です。公立ならほぼ無償ですが、フリースクールの場合は、文科省による調査（二〇一五年三月）によると平均で入会金が五万三〇〇〇円、月々の会費（授業料）が三万三〇〇〇円。フリースクールが遠いと、交通費その他の雑費もかかってきます。経済的に支払うのが不可能なため、利用しないまま何の支援も受けていない子どもが四割弱はいるのです。そのような子どもたちに対して大きな危機感を持っている教育専門家は少なくありません。

地方自治体によっては、家庭またはフリースクールに補助金を出しているところもありますが、自治体の財政によって異なり、自治体側もいつまで補助金を出せるか分からない、と述べています。これからの課題は、子どものために必須なフリースクールに対する「公的財政補助」をどのように実現していくかということにあります。

次の章では、タテ社会の公的承認を相互承認にしていくことの難しさを述べます。

第五章　私たちの生活と公的な承認

承認の本質は相互承認にあります。平等な市民関係の中で行なわれる相互承認は、個人のアイデンティティの確立を助け、自己実現の成就を助けます。さらに民主主義と連帯にもつながり、よりよい社会に向けての改革や紛争の予防にも役立ちます。

けれども、権力を持つ者と持たない者とのタテの関係の中での相互承認については、今日でもまだ、権力を持つ者の一方的な承認が当然と意識されているためか、承認／不承認をめぐるさまざまな紛争が起こっています。権力の一方的な行使によって、権力を持たない者を屈服させようとする不合理は、いつかはマグマのようにどこかで爆発するのではないでしょうか（たとえば、辺野古《へのこ》の基地闘争や日本学術会議の新会員候補者任命拒否、自死者を出した安倍元首相の森友学園問題の結着のつけ方、非正規労働者に対する労働条件・生活条件の大きな差別など）。民主主義の成熟度とは、権力者と一般市民の間に相互承認がどの程度に行なわれているかによって測られるのではないかと思います。

憲法学者の石川健治は、「公的承認などの国家権力の行使にさいしては、必ず公共性の回路をくぐらなければ正当性は得られない」と述べています（「承認と自己拘束」『岩波講座　現代の法1』岩波書店、一九九七年）。

公共性の回路をくぐることによって、はじめて公的承認が私益ではなく、公共益であることを証明できるからです。日本の政治権力に即していえば「議会内では少数野党とも丁寧な熟議を尽くして合意をはかり、議会外では、良心に忠実なさまざまの専門家から意見を聞き、市民の声を真摯に受けとめて、その過程を全面的に透明化して、公文書として残す」ことだと思います。

民間会社においても、第一章で述べたように、最高経営責任者はその権力を、たこつぼ化、密室化せず、社員をはじめ、ステークホルダーとの間に相互承認の文化を行きわたらせることが会社の発展のためにも社会のためにも必要なのです。

第五章では、相互承認関係を持つことが難しいといわれる公的承認と私たちの生活とのかかわりについて考えます。

1　国家の承認と国民の権利

私たちの人生はまず、公的な承認とともにはじまります。

社会の一員となる子どもの誕生を喜んで迎えるとき、私たちはまず、自治体に妊娠届出書と顔写真つきの身分証明書(マイナンバーカード・運転免許証など)、妊娠の診断を受けた病院の診察券(出産予定日が分かるものなど自治体により違う)などを提出し、母子健康手帳を受けとり、そのことによって公費の補助による一四回分の受診券を交付され、それを使って妊婦健康診査を受けたり、保健師との相談もできるようになります。また出産後に、出産育児一時金五〇万円や育児休業給付金の支給を受けることもできます。生まれた子どもの出生届を提出することで子どもは戸籍に登録され、住民票が作成され、マイナンバーが交付され、健康保険にも加入することができます。

もし住民票がなければ、生活保障、医療保障、義務教育の学校への就学、選挙権、銀行口座の開設や、結婚、遺産相続にも支障が生じます。さまざまなところで必要とされる身分証明書を持つこともできません。

公的な承認がなければ、どういうことが起きるか、日常の身の上に降りかかってくる損失を想像してみましょう。現実に、戸籍がない無戸籍の子どもがいます。

二〇二二年になって、これまで無戸籍の子どもを生み出してきた「嫡出推定」という法律が改定され公布されました。無戸籍の人は、二〇一四年から行なわれている法務省の調査の累計で把握されているだけでも三九三〇人います。無戸籍だと原則として住民票を得るのが難しくなり、ある一人の人間が存在しているのに、存在しないことになるのですから、人権が著しく侵害されることになります。

無戸籍になる大きな理由(七二%)は、一八九八年に施行された民法の七七二条にあります。当時の家制度を前提にしたその法律によって、一二〇年余りの間、女性と子どもの人権が差別されてきました。その非合理性が指摘されていたにもかかわらず、長期にわたり放置されてきたことに義憤を覚えます。反人権的なその法律に従えば、結婚後二〇〇日経って生まれた子や離婚した日から三〇〇日以内に生まれた子は、夫以外のパートナーとの子どもであっても(元)夫の子どもとして戸籍に登録されることになります(嫡出推定)。そのため、当事者の了承なく事実と異なる父子関係が生じることに母親が納得せず、出生の届出をしない方法を選ぶ結果となっています。こうして無戸籍の子どもがつくり出されてきました。とくに、DV（ドメスティック・バイオレンス）の被害を受けていた母親にとっては、生まれた子どもを（元）夫と親子関係にすることはとうてい受け入れられないことでしょう。また、これまで長い間、女だけは離婚後一〇〇日間再婚できない規定や、結婚後二〇〇日経って生まれた子や、離婚後三〇〇日以内に生まれた子は（元）夫の子となることに対しては、以前から大きな批判がありました。

二〇二二年二月一日に法制審議会がまとめた改正要綱が、一二月に立法化され、二〇二四年四月に執行されました。それによると、一〇〇日間の再婚禁止規定は廃止されましたが、離婚後三〇〇日以内に生まれた子どもの嫡出推定の規定は残り、離婚後三〇〇日以内でも他の男性と再婚した後に生まれた場合は現夫の子とする例外規定が設けられました。

しかし、今回の改正は、再婚していない人は対象外となり、救済されません。「嫡出否認」を家庭裁判所（家裁）に申し立てても、家裁が（元）夫に事情を聴くなどの関係を持つかもしれず、（元）夫との関係ができることを嫌う母親は出生届を出さないことを選びます。法務省の調査では、改正後もそれによって救済されるのは、三五％程度だと推定されていますから、嫡出推定の規定自体を廃止しない限り、無戸籍児は残ります。私は何よりも、一二〇年間そのことを放置してきた日本の政府と社会の意識を理解することができませんでした。私的な家庭生活という領域に権力が介入して、個人の自由な選択を妨害する、選択的夫婦別姓と同じ構図が連綿と続いているからです。

さらに公的な承認に関連してもう一つ、フリージャーナリストの安田純平さんの例を見てみましょう。

安田さんは、二〇一五年六月、取材のためトルコ経由でシリアに入り、シリアの武装勢力に拘束されました。三年四か月の拘束ののち二〇一八年一〇月二五日に帰国しましたが、拘束中にパスポートを取り上げられたので、帰国後、日本の外務省にパスポートの再交付申請をしました。しかし、不承認となって、安田さんは海外に出られなくなってしまいました。安田さんのようなフリーのジャーナリストが海外の取材に出られないことは、仕事を失うことに等しく、私たち市民もまた、彼らが身を賭して得た現場からの情報に接する機会を失いました。フリーのジャーナリストやカメラマンによってもたらされる情報から、当局に管理されないナマの現実を知ることができるのに、その貴重なルートの一つを失うことになります。安田さんは発給拒否を不服として、二〇二〇年に行政訴訟を起こしましたが、二〇二四年一月二五日、やっと東京地裁判決が出ました。結果は発給拒否は違法だとして処分取り消しが命じられました。

フリージャーナリストの情報は貴重で、その情報によって国際社会のあちこちで市民運動が起こり、国が動きだした例もあります。日本でもベトナム戦争の現実を私たちに伝えてくれたのは、フリージャーナリストの存在でした。私は、報道写真家・石川文洋さんの写真展を見て、電流に触れたような感動を覚えたことを今も忘れることはありません。国や組織に所属するジャーナリストが伝えるニュースとは異なった視点で一人の人間の立場からものごとを見るようになりました。

安田さんは、犯罪者でもないのに国から一方的にダメといわれたため、かけがえのない人生の可能性が閉ざされてしまいました。このような国家による不承認は、よほどの理由がなければ許されないことではないでしょうか。私たちにとっても言論の自由が失われたのですから。幸いにして判決は安田さんの勝訴となりましたが二〇二〇年から二四年までの間、不利益を受けたことは、とり返しのつかない損失だといえます。


気がつけば、私たちの人生は公的承認の中で営まれているようなものです。国民としての権利は国家の承認と背中合わせなのです。自動車運転免許証も、パスポートも、教員や医師や建築士の国家試験による資格付与も、国家の承認事項です。公的にも、社会的にも、もし承認されなければ困ることがたくさんあります。その反対に、権力者は承認を自由に操ることによって、法的に認められないことも実行することができるのです。

「はじめに」で少し触れましたが、安倍晋三元首相が引き起こした通称「モリ・カケ・サクラ」事件の中の森友学園問題については、まだ記憶している人が多いと思います。政治権力者におもねって改竄された公的承認が誠実な一人の公務員を死に追いやり、国民にとっての公益も大きく損なわれた例として決して忘れてはならない事件です。公文書の改竄・廃棄に反対しながら職務命令のためにそれが叶わず、まじめな公務員がささやかな人生計画の幸せを狂わされ、苦しみに苦しんだ末に自死したのです。

公務員の赤木俊夫さんは、公務員としてやってはいけない「一度決済された文書の改竄・廃棄」をさせられました。公文書改竄・廃棄は、民主主義、法治主義の大前提を揺るがすものなので、国民全体の奉仕者である公務員が絶対にやってはいけないことです。国家公務員法は「すべて職員は、国民全体の奉仕者として、公共の利益のために勤務し」(九六条)と定めています。しかし、とくに安倍政権になってからの公務員は、権力者の意向を忖度することが出世の必須条件となってしまい、本来、公務員が従うべき法や公共性はどこかに消失しました。上の人が承認したことを、それが正しくなくても反射的に、忠実に行なうことが公務員の日常となったのです。人間が持つ思考と判断の回路のうち、公共性の回路は閉鎖されてしまっているのです。

財務省本省から近畿財務局に改竄指示が降りてきたとき、最初は「応じるな」と赤木さんに同調していた近畿財務局の楠敏志管財部長も、本省の中村稔理財局総務課長や田村嘉啓《よしひろ》国有財産審理室長から電話で直接に指示されると反対できず、美並《みなみ》義人近畿財務局長が全責任を負って承認する、ということで、改竄の作業が実施されることになりました。公務員の良心から強く反対していた赤木さんも、結局は、上からの指示に従わざるをえず、改竄の仕事に手を染めることになります(詳細は『週刊文春』二〇二〇年三月二六日号。金平茂紀「赤木ファイルを読む」上・中・下、『世界』二〇二二年一~三月号)。

二〇一六年六月、大阪・豊中市にあった鑑定価格九億五六〇〇万円の国有地を八億円余り値引きして、一億三四〇〇万円で森友学園に不当に安く売却した問題は、安売りした理由に当時の首相夫妻の関与があったのではないかと国会で問題にされました。改竄前の文書には、昭恵夫人の名前が数回にわたって記録されていました。その足跡を消すための改竄だったのです。改竄を部下に命令した上司はその後栄転しましたが、それに引き換え、検察の取り調べを受けた赤木さんは、自死しました。そのころ、まもなく行なわれる七月の人事異動で赤木さんは他の部局に異動することを切望し、直属の上司からそうなるだろうといわれていました。しかし、他の関係者が全員異動していなくなったあと、赤木さん一人だけが残されて、しかも売買された国有地の関係資料は全部、戸棚からなくなっていたのです。赤木さんに対する特捜部の聞き取りが続き、赤木さんは心身の不調に苦しみました。愛妻家で親思いでもあった赤木さんは定年退職後、天下りなどではなく、書道を教えるべく、書の研鑽を積んでいたといいます。夫婦仲もよく、真面目で普通の市民であった赤木さんの一生に、上司の不当な承認がもたらしたものは、自死という無情な結末だったのです。

赤木さんの妻は、夫の自死の原因を明らかにしてほしいと、提訴します。しかし、自死した赤木さんが詳細な事件のメモを残していたため、政府は、裁判でそれらの事実が明るみに出て敗訴になることを恐れ、原告の要求がすべて正しいと認めて裁判を終わらせる「認諾」という訴訟行為をとりました。約一億円の損害賠償を原告の赤木さんの妻に支払うことにして、法廷をひらくことなく終結させたのです。その一億円はもちろん私たちが払った税金です。ジャーナリストの金平茂紀によれば、そこまでの経過の中で財務省、近畿財務局だけでなく検察や会計検査院までが、本事件を知りながら見て見ぬふりをしていたことが明らかにされています。

権力を持つ者が、自由に、恣意的に、法を無視して、承認や不承認を行なうことが常態化したその実例が、「モリ・カケ・サクラ」事件や「はじめに」で触れた黒川弘務検事長の定年延長や、元フランス大使である小松一郎の内閣法制局長官への人事や、日本学術会議での任命拒否事件でした。

もう一つの例を見ましょう。

政治的な圧力によって生活保護基準引き下げの誤承認を行なった厚生労働省に対して、現在、「生活保護基準引き下げ行政処分の取り消し」を求め、通称「いのちのとりで裁判」を起こし、闘いつつあります。この裁判は、二〇一三年から一五年に生活保護費のうちの生活扶助基準引き下げ(最大一〇%、平均六・五%)の違憲性を問う裁判で、一〇〇〇人以上の原告が全国二九地域で三〇の訴訟を闘っています。二〇二三年一一月三〇日の名古屋高裁の勝訴で一三件目となり、勝敗は地裁で一二勝一二敗、高裁で一勝一敗の五分五分です。

生活保護基準の改定は、専門家による社会保障審議会生活保護基準部会での検証を必要とすることになっています。にもかかわらず、厚労省の独断で六七〇億円の減額削減が行なわれました。

そのような違法な削減が行なわれた理由は、二〇一二年の衆議院総選挙で勝利した自民党が、選挙公約に生活保護給付水準の一〇%引き下げを掲げていたからです。法的手続きを省き、厚労省が行なった生活保護費の削減は、「誤った公的承認」だとして、抗議活動が全国的に広がりました。厚生労働大臣の減額判断は、「統計等の客観的な数値等との合理的関連性や専門的知見との整合性を欠き、最低限度の生活の具体化に係る判断の過程及び手続に過誤、欠落があるといわざるを得ず、裁量権の範囲の逸脱又はその濫用があるというべきである」(大阪地裁の判決骨子、二〇二一年二月二二日)とされています。

第三章で詳しく述べたように、生活保護の扶助額は、総務省による家計調査の最も収入の低い世帯グループ(第1・十分位)の消費支出と比べ、それを超えない水準に定められています。この方式は、一九八四年以来行なわれている、「水準均衡方式」と呼ばれるものです。二〇一三年の保護費削減理由として、物価の下落分を反映させた誤まったデフレ調整や、低所得世帯との均衡を図るゆがみ調整などを持ち出していることにも、疑義を感じざるを得ません。

民主主義法治国家は、権力者が独断的に承認を行なうことがないように、承認を行なう際に、公共性の回路をくぐることで熟議を尽くす(ここでは審議会での良心的な学者や専門家の意見、市民の声を聞き、透明な中で議論を行なったその経過を公文書に残す)ことを厳守しなければなりません。裁量権の濫用があってはならないのです。生活保護は、生存にかかわる命の砦です。さらに、生活保護基準を低下させると、それを基に計算される住民税の非課税、給食費などの就学援助、最低賃金などの各制度とも連動します。

たとえば横浜市では、生活保護費の引き下げ前、両親と小学生二人の標準世帯で三五八万円以下の年間所得が就学援助の対象でしたが、引き下げ後には三四四万円以下に変わり、推計九七七人の子どもが援助対象から外れました(二〇二一年六月時点、横浜市担当者。共同通信、二〇二一年六月二四日配信)。

「いのちのとりで裁判」の弁護人、小久保哲郎も、原告からの聞き取りの中で、生活保護費の削減によって剝奪されたのは、その人が人生で最も大事にしていた生きがいやアイデンティティであったと述べています。それは、限られた孫との交流や施設に入所している母との面会であったり、新聞の購読や、思想信条にかかわる講演会への参加であったり、人によって多種多様であるけれども、人間として奪われてはならない、社会人としてのアイデンティティにかかわる費用であったといいます。人間としての最低限の文化を奪われないように——生理的な生存の費用を削らざるを得ないような生活が、人間の生活といえるのかが問われているのです(小久保哲郎「生活保護基準引下げ訴訟(いのちのとりで裁判)」『法と民主主義』二〇二三年一月号)。

生活保護費の減額は、貧困者に不利益を強制することになるので、法的手続きを一層厳密にしなければならないのに、それをないがしろにした厚労省の行為は、民主主義にも、人権にも反する行為です。このような「恣意的、一方的な公的承認」が横行するようでは、民主主義国とはいえません。減額はとり消されるのが当然ではないか、というのが市民常識です。しかしその一方で、貧しい者同士がお互いに足を引っ張り合う競争社会ではなく、連帯する相互承認社会へと、社会の意識を変えるには、どうしたらいいのかも考えさせられます。

二〇二二年に安倍元首相が銃撃されると、国会に諮ることなく、岸田首相が独断的に安倍元首相の「国葬」を決定したのも、それが普通になっていた政界事情の反映だったのでしょう。その後、安倍元首相が旧統一教会と密接な関係を持っていたことや、民主主義の制度を壊してきたことなどが国葬にふさわしいか、という抗議の声が高まり、岸田首相は国民からの大きな批判を受けることになります。安倍元首相は自民党内からは頼られた人だったかもしれませんが、国会で一一八回もウソの答弁をしたことも有名で、必ずしも国民から尊敬された人ではありませんでした。

2　公的承認に対する要望や批判——勉強会での発言から

これまで挙げた例はそれでも特殊な例で、自分には関係ないという人が、まだいるかもしれません。しかし、毎年三月、「今年度の予算が、国会で承認されました」という新聞・テレビの報道を知らない人はいないでしょう。国家予算のことなど難しくて自分には関係ない、という人もいますが、現実には予算承認の在り方しだいで私たちの家計や命が大きな影響を受けているのです。

一般には難しいと思われてきた国家予算の内容を勉強しようとする住民の集いがあちこちでひらかれるようになったのは、国民健康保険料や介護保険料の値上げがあり、しかも、これまで医療費の窓口負担が一割だった後期高齢者のうち、被保険者が世帯に一人で二〇〇万円以上、二人以上で三二〇万円以上の年間所得があると、二〇二二年一〇月から倍の二割負担になり、消費税の増額に加えて進むインフレが家計をじり貧状態に追いつめ、いやでも国や自治体の財政と向き合わなければならなくなったことによるのでしょう。あるいは二〇二二年に始まったウクライナ戦争が、国家の行為を強く意識させ、国家の財政と税金と戦争の関係を認識させたのかもしれません。

高度に専門的なことは別として、国会の参議院予算委員会調査室が出している『財政関係資料集』は国会議員たちのために、毎年のように工夫を凝らし、改善が積み重ねられてきた資料集で、一般の市民の財政勉強会にとっても有益な参考資料となっています。

国の予算と自分たちの生活との関連を理解し合う勉強会(たとえば「公正な税制を求める市民連絡会」、生協の勉強会、「対話的研究会」など)で、国会の予算承認がこれほど自分たちの生活を左右していたとは気がつかなかった、という人が少なくありませんでした。その中で、国の予算の在り方に多くの疑問と要求が出されました。

やや教科書的になりますが、周知のように、国の会計は、国民から強制的に徴収した所得税や、私たちが買い物のたびに支払う消費税などで賄われています(今や国債という天井知らずの借金で税収の不足分が補塡されていますが)。現在、消費税を払わない国民はいません。もし国民が所得税や住民税を滞納でもしようものなら、高率の延滞金が課され、場合によっては預金や固定資産を差し押さえられ、住居も競売に付されて、身ぐるみ剝がされます。そうして徴収した税金が、国民の共通の幸福のためにどのように使われているのでしょうか。

一強の与党と少数野党の議員で構成されている国会は、形式的には民主的な多数決の手続きを経て承認されているため、「一党独裁」といわれるような税金の使い方をされるとしても、国民には対抗する手段がありません。けれどもよくよく考えてみれば、現在の社会には、かなりの金持ちであっても、個人の資金ではとうてい賄いきれない、生活必需というものがあります。ウイルスの感染を防ぐ公衆衛生であったり、MRIによる病巣の検査であったり、衛生的に安全な水道であったり、消防などです。

個人ではできないことも、多くの個人がお金(税金)を拠出し合って、新型コロナウイルスの感染防止策を講じたり、医療のための高度な検査機器を整備したり、犯罪を防止したり、災害に対処したり、生活の土台となる高額な必需品(社会資本といわれる、上下水道、道路、電気・ガス、学校、病院、公園、図書館、消防、公衆衛生、医療保険制度、年金制度など)を整備し、共同消費をすれば、私たちの生活の質も上がり、生活の安全性も格段に高まります。未来への研究開発や、災害の救済・予防、自然環境の保護なども社会資本の中に含まれています。税金を払う意味はそこにあります。

前記の勉強会などで話し合われたのは、人間の基本的生活にとって欠陥が多すぎ、不安すぎる税金の使われ方に対する疑問でした。

以下では、今後の予算編成の一参考資料として、二〇二二〜二三年に勉強会で出たさまざまな意見を簡単に紹介します。

■A 岸田首相がいともやすやすと、防衛費を二〇二三年度から増額し五年かけて総額四三兆円とし、二〇二七年度には一一兆円(GDP比二%)になるようにする、と言うのを聞くと、強い軍隊が本当に国民の命と生活を守れるのか。海岸沿いに林立する原発にミサイル攻撃があればすべては終わりではないか。国民の安全保障にとって軍備増強以外の方法がまったく語られず、メディアもそれを語ろうとしないのが不思議だ。

防衛費の予算はその使途についても秘密にされることが多い。社会保障や教育や地球環境保護など、生活の死活問題にかかわる予算が、内容不詳の防衛費の予算に奪われて、支出の正当性が論じられないまま、軍事的安全保障が人間の安全保障を台無しにするのではないかと心配だ。

国を守る方法は一つではないはず。なのに、なぜ、防衛費だけが国を守るかのような国会の議論になっているのか。アジアの国民が、ひざをつき合わせて市民同士で直接に交流し、高齢化社会を幸せに暮らす社会システムを共同研究したり、災害や感染症対策を共有したり、スポーツ・文化の交流や留学生の相互派遣、地球温暖化問題や貧困の解消や平和について、国際的に協力し合うことになぜ本格的に予算が増額されないのか。敵意を煽るようなことばかりが目立つ。

■B　予算の半分が借金で賄われているというのに、防衛費の一一兆円なんて、どこにそんな財源があるのか。IMFが公表した二〇二一年の数字でみれば、日本はGDP比二六三%にあたる約一二〇〇兆円の債務残高を抱えている。国民一人当たり一〇二五〜一〇二六万円を超える借金で、国際的に見ても、第一位の借金王国だ(アメリカは一三二%、フランス一一二%。イギリス九五%、オーストリア八三%、中国二八%、ドイツ七〇%、韓国五〇%、スウェーデン三七%など)。

私たちの日常生活では、現在二〇〇円払えばリンゴ一個が手に入る。けれど防衛費の弾丸やミサイルにいくらかけても、それは消えてしまうだけで、なにも返ってこないどころか、人を殺したり建物をこわしたり、自然環境を破壊し、後世までの恨みを買うだけで、返ってくるものはない。核の時代に戦争の勝利者はいない。

■C

民主主義国家はどこでも、国の財政支出には規律と限度を設けており、日本でも財政法第四条の制限がかけられている。「国の歳出は、公債又は借入金以外の歳入を以て、その財源としなければならない」と定められ、もし公債を発行する場合は国会の議決が必要であり、同時にその償還の計画を国会に提出しなければならない、と決められている。この四条の規定に関しては、財政法制定時の起案者である当時の大蔵省主計局法規課長の平井平治が書いた有名な『財政法逐条解説』(一九四九年)の原本が国会図書館にあり、誰でも読むことができるので現物を閲覧した。

(一) 第四条は健全財政を堅持して行くと同時に、財政を通じて戦争危険の防止を狙いとしている規定である。

(七) 戦争危険の防止については、戦争と公債が如何に密接不離の関係にあるかは、各国の歴史を繙《ひもと》くまでもなく、我が国の歴史を観ても公債なくして戦争の計画遂行の不可能であったことを考察すれば明らかである。……公債のないところに戦争はないと断言し得るのである。従って本条〔財政法四条〕は又憲法の戦争放棄の規定を裏書保証せんとするものであるともいい得る。

と記されている。

また「国債の乱発による高率のインフレは大多数の国民を塗炭の苦しみに突き落とす」とも警告している。現在、その禁じられている国債で一一兆円の防衛費をまかなえ、という自民党幹部がいる。インフレで苦しむ中小企業の労働者や、年金生活者のことをどう考えているのか。

■D 私の祖母が言うには、アジア太平洋戦争で、国債は紙切れとなり、国民は、天井知らずのインフレに塗炭の苦しみを味わったとか。餓死や病死や、強盗などの犯罪が多発したという話に、その時代の親たちはどうやってそれを乗り切って子どもを育てたのかと、そんな時代への恐怖を感じた。貨幣価値がほとんど失われているので、高価な衣類や、先祖伝来の家具、什器などと引きかえに、サツマイモやコメ、麦、豆などを田舎の親戚から分けてもらい、病院にも、お金ではなくお米を持っていって、診療費や薬代を払い、命をつないだと聞いている。

■E ウクライナ戦争を見ても、戦争になるには、そうなる前に伏線があった。伏線の間に、日常の努力で戦争原因を解決していくほかに現代の選択肢はないのではないか。私たちの周辺にも敵意を煽り、勇ましいことだけを言う政治家がいるけれど、ひとたび戦争になると、引き返すことも、どうすることもできなくなるのが、ウクライナ戦争の教訓ではないか。

■F　防衛費の膨張は底なしで、安倍（元首相）が言ったように、一万円札は二〇円でできるからいいのだとか、日銀は政府の子会社だとか、無責任と無知な発言に驚かされる。お金の価値とはその購買力だ。私の行きつけのスーパーでも、一五八円だった一キロの砂糖が見る見るうちに二三〇円になり、四個入りののり巻き一パックが一九八円から二九八円に上がり、あじのフライも形がより小さくなって、一枚九八円から一六〇円になった。それだけ円の価値＝購買力が下がった。同時に預金したお金の価値も、定額の年金も、価値が下がったことになる。何年か前にメキシコに行ったとき、空港で、離れた場所にあるトイレに行って、用を済ませて待合室の元の場所に戻ったら、行きがけに見た売店の品物の値段が帰りがけにはもう上がっていた。生きられない民衆は、盗みや暴力で富を奪おうとして、安全も安心もない毎日だと、現地の新聞は書いていた。

■G　今日明日のことは、もちろん大事だが、国家予算の中で、いま急ぐべきは国家百年の計といわれる教育における教員不足と、その原因になっている教育者の過酷な労働環境を改善することに優先して予算を振り向けるべきだと思う。教師の数や質の不足で犠牲になるのは子どもたちであり、それは私たちの社会の将来を危うくすることだ。今やブラック企業並みといわれる教育現場に就職を希望する大学生は減って、小学校の二〇二二年度採用試験は全国平均二・五倍の競争率で過去最低まで落ちている。

文部科学省は、全都道府県・指定都市の教育委員会等六八団体を対象に、全国の公立小・中・

高校、特別支援学校計三万二九〇三校の実態を調査し、二〇二二年一月三一日、「『教師不足』に関する実態調査」(二〇二一年度始業日と五月一日時点)を発表した。

そこで明らかにされているのは始業日時点で二五五八人もの教師の欠員で、その欠員を補充するために七三歳の前教員さえ駆り出して、一日約八時間、週五日の勤務で一三コマの授業を依頼していたとか、首都圏の中学校で、代わりに校長や副校長が教壇で教えていたとか、教師を辞めて十数年も学校を離れていた教員の臨時的再任で穴埋めをしているとか、一人の教師が専門以外の教科を兼任させられているとか、臨時的任用教員にクラスの担任をさせていた小学校や、自習続きの学校で子どもたちが安定した落ち着きをなくしているなど、いじめ対策などにもとても手がまわらない実態が報じられている。子どもにとっての一年は大人の一年とは違い二度ととり返しのつかない一年なのに。

二〇二二年九月七日、日本労働組合総連合会(連合)のシンクタンク「連合総研」は、公立学校教員の労働時間調査の結果(速報値)を公表した。調査は二〇二二年五〜八月、全国の公立の小・中・高校と特別支援学校のフルタイムの教員を対象に、インターネットで実施し、約九二〇〇人が回答している(回答率九二・一%)。出勤から退勤までの平日の在校等時間は、平均で一一時間二一分。自宅に持ち帰って仕事をした時間は四六分で、合計の労働時間は一二時間七分。一日の所定労働時間(七時間四五分)を大幅に上回っている。週休日(土・日)の合計の労働時間は平均三時間二四分。在校時間中の休憩時間は、五四・六%がゼロ分、という答えになっている。

現在の国の予算の承認の仕方は、優先順位の置き方が誤っている。国家の将来のために、社会の土台をつくるべき学校をブラック企業にしてしまっている。九三・五％もの人が、その解決のために求めたのは、正規の資格を持った常勤教師の増員だった。そのための実現可能な予算を早急につけることを要求している。しかし、それをしないで、勤務時間を実際より短く書くように指導されたところもあると知った。

ＯＥＣＤの『図表でみる教育 Education at a Glance』（二〇二一年九月一六日）によると、二〇一八年の初等教育から高等教育の公的支出のＧＤＰに占める割合は、日本が四・〇％で、ノルウェー六・六％、イギリス六・一％、アメリカ六・〇％などに比べて低く、ＯＥＣＤ加盟国平均の四・九％よりもさらに低く、比較可能な三八か国中、最下位から七番目となっている。

フィンランドの教育の質の高さが国際的に評判になったとき、同国の大学生に最も人気がある職業は教職だと聞き、うらやましく思った。教職に就きたいその理由を聞くと、専門的な研究が実践と結びついた形で長期にわたって継続してできるから、という答えや、仲間と協力して、子どもたちのためにいい教育をすることの喜び、生きがいが挙げられていた。どの国でも子どもの教育は未来の創造だと信じられている。

■Ｈ　二〇二二年一一月六日の『朝日新聞』は、科学技術振興機構の調査で、新型コロナウイルス関連の日本からの研究論文は、二〇二〇年に一三七九本で世界で一六位。二一年は三五五一本で一四位、二三年は一六〇〇本で一二位。一位は三年連続でアメリカ、二位と三位は中国とイギリスで入れ替わりながら順位を保持している。アジアではインドが二〇年に五位で以降も上位を維持している。医学に関して著名な『ランセット』や総合的な科学雑誌『ネイチャー』など五誌に掲載された論文だけに絞ると、日本は二〇年に一八位、二一年に三〇位。アメリカの感染症研究に国立保健研究所(NIH)が年間六〇〇〇億円の予算をつけているのに対し、日本は年間約九〇億円と六七分の一の予算しかつけていない。欧米がワクチン開発に圧倒的なスピードで成功した理由は幅広く基礎研究に支援を続けてきた成果で、政府の有識者会議の永井良三座長も、海外で治療薬やワクチンの開発がすばやく進んだ背景に「コロナウイルスを科学的興味から地道に研究していた研究者の存在があった」からだと、基礎研究の重要性を強調している。

基礎工事をおろそかにした砂上の楼閣で、競争だけ煽ってみても成果は出せない。

■━　借金財政といいながら、私たちが経験した醜聞だらけのオリンピックの、その決算と経費が

組織委員会から公表されたのを見ると、オリンピックの経費が当初の七三四〇億円から二倍の一兆四二三八億円に膨れ上がったけれども、組織委員会は、二〇一六年一二月に公表した予算一兆五〇〇〇億円(予備費を除く)以内に収まったと自賛している(組織委員会、二〇二三年六月二一日発表による)。けれども、その数値には「大会経費の範囲には統一的な定義がないので、大会に直接必要な経費」だけを計上したとして、既存の体育施設の改修や、輸送インフラ、都市ボランティ

アの育成や警備費などの経費を積み上げると二兆一六〇〇億円に膨れ上がり、さらに会計検査院が試算した「関連経費を含む国の負担額」一兆六〇〇億円を加えると、関連経費を含めたオリンピック経費の総額は三兆円を超えることが、『読売』『朝日』『毎日』および『北海道新聞』その他の地方紙で報じられている。それらの巨費をつぎ込んで建設された施設は、国立競技場をはじめ、大会後の利用では、軒並み赤字となることが予測されている。

オリンピックで三兆円超もの支出をしたその裏側では、コロナ感染者の入院受け入れベッドが満床で対応できず、感染者が自宅で亡くなることも少なくなかった。二〇二〇年一月から、二二年七月末までの間に病院で受け入れてもらえず自宅や施設で亡くなったコロナ感染者の累計は、警察発表によれば、二二三六五人。入院できず待機した人は六六一〇人。「自宅放置死遺族会」は、その責任を問うている。

自治体の医療の逼迫で、患者を搬送する先が見つからず、救急車が何時間も立ち往生させられたのは周知のこと。

そうなったのは、予算の承認について国民が無関心でいる間に、保健所の数が半分に減らされ（一九九四年保健所法が改定され（地域保健法）、それまで八四七か所あった保健所が、二〇二〇年には四六九か所に半減）、感染症病床としての陰圧隔離病床は九七一六床（一九九六年）から一七五八床（二〇一九年）に激減させられた。保健所も保健師も足りず、コロナの感染を保健所に知らせなくてはならなくても、電話が全くつながらなかった事実に呆然とした市民は少なくない。感染者に対して国公立病院だけでは対応しきれず、国は、民間の医療機関に協力を求めているが、感染症以外の他の患者への対応もしなければならない民間医療機関に、特殊な感染症患者の対応はもともと無理だ。効率性や採算を追求して公的機関を減らし、民営化を進めてきたツケが、このような犠牲者を出している。国会での予算承認の在り方が、国民生活全体に影響を与えるものであることは、歴然としている。国民の側もその自覚を持つべきだ。

■J　市場で行なわれる一般商品の売買は、買い手に主導権がある(買う／買わないの決定権は、買い手にある)。

では、就職という形をとる労働力商品の売買にも、それが当てはまるのだろうか。求人側に能力を査定された結果、就職できなくても、それは労働能力が欠如しているからとして、求職者個人の責任にされてしまうのだろうか。

求人・求職の関係の中で決定される承認基準は、市場の自由に任されている。しかし、それが権力を持つ者と持たない者とのタテ関係の中で一方的に行なわれる承認であることを忘れてはならない。就職活動をする人びとが、仕方がない、当然として受け入れている労働市場の買い手主権は、本当に正しいのだろうか。教育がすでに差別を助長する教育になっていないだろうか。

一般的な商品の売れ残りとは違って、最終的に就職できなかった人は人生の死活問題に直面する。それを国家権力は、市場の問題・契約の自由として放任していいものだろうか。

この問題の根源は、人間の労働能力は、もともと商品ではないのに、資本主義市場経済に適合させるために無理に商品化していることから発生している。人間の能力とは？という根本問題も議論の外に置かれている。それは資本主義経済のアキレス腱ではないか。

勤労者の九割が雇用されて働く賃金労働者になっている現在、雇用されないことは、①人間らしい生活をする糧を得られない。したがって自由を得られないし、結婚もできない。②自身が持っている能力を発揮することができないため、社会に貢献できない。③労働を通して得られる人間関係が得られない。④社会との接点が得られないので、他者から認められることによって可能になる自己のアイデンティティを築くことができない。⑤労働するという人生の目的がなくて、生きる価値をどこに求めればいいか分からない。

卒業間際の若者や、やむなく非正規で働く人びとが訴えるこれらの問題は、市場だけでは解決できない問題ではないか。人間が先にあって、市場は人間のために後からできた。商品でない人間を、資本主義市場経済の中に商品として無理に押し込んだのが雇用による賃金労働者という働き方だった。能力の有無を査定された結果、賃金という値段が決められる。その結果、査定に合格しなかった人は、労働基準法の適用除外の非正規雇用で不安定、劣悪な環境で働かざるを得なくなったり、働きたいのに、失業や引きこもり状態におかれることになる。ホームレスという社会からの排除も起こる。それは、国家が人間の本性である労働に対して、公的責任を放棄して市場任せにしていることに原因があるのではないだろうか。労働は人間らしく生きることのすべての基礎であるから、公的責任として、働きたい人がすべて人間らしく働けるように、十分な財政支出をして、対策を講じるべきではないのだろうか。財政問題には、この視点が欠けている。

商品経済社会であっても、民主主義社会は、無償の義務教育とか、生活保護とか、国民健康保険とか、ギブ・アンド・テイクでない公共の共有地をつくることで、資本主義市場経済の社会からの排除に歯止めをかけ人間の尊厳を守ってきた。人間らしく働くという人間の本性が無視されて、不安定で劣悪な非正規労働や低賃金のエッセンシャルワーカーを当然視しているのはおかしいと思う。労働の共有地としての社会保障制度をつくるべきではないか。狭い範囲の生活費付き職業訓練でなく、個人個人に丁寧に対応しないハローワークだけでなく、最低の生活保護だけではなく、もっと多種多様な職種の、働き手の得手不得手に応じた職業と教育の場を公的財政支出によってつくり出すべきでないか。たとえば、労働の協同組合への助成や、若者の起業助成や、これから需要が増えつづける社会福祉部門のエッセンシャルワーカーの仕事を公務としたり、民間のエッセンシャルワーカーへの報酬を公的にさらに助成するなど、社会に希望を生み出せる政府の財政支出が今のままでは、あまりにも足りないと思う。日本では何でも民営化することがいいことだと洗脳されてきたが、義務教育や、保育の現場や、会計検査院や、裁判官や医師など、人手が足りないために、社会の土台であるエッセンシャルな仕事ができていない職場や地方自治体はたくさんある。たとえばアメリカの公務員比率は二〇二一年には一五%で、日本の四・六%の三倍に上り、スウェーデンでは働く人の二九%を女性のケア労働者などの公務員が占めている

（小熊英二「8ガケ社会　低賃金労働ありき、脱却を」『朝日新聞』二〇二四年一月一六日）。AIが登場した現在、人間にとっての労働の意味をもっと根本的に議論してみるべきではないか。

ここでいくつかの例を紹介したように、公的承認に対する要望や批判は山積しています。私も所属する「対話的研究会」の二〇二三年一一月の定例研究会で、まるで偶然の一致であるかのように、権力者が行なう公的承認と市民の生活要求との間の相互承認を成り立たせるにはどうすればいいか、ほぼ全員が熱のこもった問題提起をしました。あまりにも遠い政治との距離を縮め、不可能を可能にするため、私たちに何ができるか。山積する課題が語り合われ、ともかくどんな小さな足元の事件であっても相互承認を実現する努力をしようという発言で、当日の意見交換は終わったのです。

そのとき、二〇二三年一〇月三〇日、辺野古代執行訴訟第一回口頭弁論で行なわれた沖縄県の玉城デニー知事の意見陳述も大きな話題になりました。沖縄県に対する国の態度は、誤った公的承認の典型として、痛恨の思いとともに人びとの心に記憶されているようでした。

玉城知事の陳述は、

——沖縄県民はアジア太平洋戦争の沖縄戦で、本土防衛のための防波堤として筆舌に尽くし難い犠牲を強いられた。その経験に立って、沖縄は平和の島、自然環境の保護、アジアの文化交流の拠点という再興の理念を掲げている。その沖縄に再び犠牲が強要され、日本の国土面積の約〇・六％の土地に米軍専用施設面積の約七〇・三％が集中し、沖縄県民は他の都道府県民に比べ、一人当たりの面積で約二〇〇倍の基地負担を課されている。

――国は普天間《ふてんま》飛行場の速やかな危険性の除去のため、「辺野古が唯一」というが、供用開始までに一二年を要し、発見された軟弱地盤の改良にはさらに年月を要する辺野古が、普天間の一日も早い代替基地になるとは考えられない。

――投票者の七二％が直近三回の知事選挙で、埋め立て反対の意思表示をしている。県民にとって、何が公益であるかは、国が押し付けるものではなく、県民が示す明確な民意こそが公益であるという心からの訴えだったからです。

それに対して国は地方自治体との相互承認を否定し、一方的、暴力的に埋め立てを進めています。その国の行為を、沖縄県民は、そして国民は、ただ諦めるほかはないのでしょうか。

おわりに

私が「承認」という言葉(概念)になぜ大きな関心を持つようになったか。たびたび質問を受けるので、そのいきさつを述べて、この本の結びとすることをお許しください。

これまでも私が本を書きたいと思う動機には、一つの共通性があったように思います。社会の中に、ある種の深いひずみが生じて、周りから悲鳴をあげる声が聞こえ、私の心がその悲鳴に共振する時でした。

たとえば『豊かさとは何か』を書いたときはバブルの絶頂期でした。私たちは人権もお金もない敗戦というどん底から起ちあがり、今度こそ人権と平和と福祉をめざす国をつくろうと、勤勉に働いてきました。ところが、私たちがめざした社会とはまるで違う、目を血走らせてカネを追うバブル社会が到来したことに呆然としたのです。こんなはずではなかった。私たちは豊かさへの道を踏み間違えたのだ、子どもたちに対して取り返しがつかない社会を生み出してしまったのではないか、人びとがとまどい悲嘆する声があちこちから聞かれました。私たちが取るべきだったもう一つの道をどこで間違ったのか。戻るにはどうしたらいいか。本当の豊かさを実現する社会をどうしたら実現できるか、切実な思いで『豊かさとは何か』という本を書きました。

『対話する社会へ』を書いたときは、社会から対話が失われていく恐怖を感じていました。人間は言葉(応答性)を持つ動物なので、対話のない人間社会はあり得ないのです。人間は生まれた時から大人の話しかける対話によって言葉を知り、他人とつながり、対話によって成長し、よりよい人生を可能にしてきました。対話は教育の土台であり、相互理解の培養土であり、民主主義の生みの親です。技術の発達が対話を無用にし、他方では、効率性が対話を放逐していく状況に、人びとが危機感をあまり持っていないことを恐ろしいと感じました。

また対話を節約したための悲劇もあちこちで起こりました。一方的な指示、命令、伝達、マニュアルのみ……、ナマの人間同士が対話の中でこそ伝え合えることが、日常の中から消えていきました。対話を無用とすることは人間の属性を否定することですから、対話のない中で行なわれる仕事には欠陥が出てきます。チームの中で対話することによって質の高い成果が得られる経験も忘れられていきます。話す相手に、この瞬間にもっともふさわしい言葉を語る能力が衰え、誰にでも同じ汎用言葉がくり返されます。ハンバーガーチェーン店の売り子さんみたいに。

『対話する社会へ』はその危機感の中で書かれました。戦争を招かない最高の方法は対話であることを、ウクライナやガザの現実を目のあたりにして今こそ人びとは知ったと思います。戦争の反対語は平和ではなく対話なのです。

「承認」に対する私の問題意識は、思考の遍歴というより魂の遍歴に似たものでした。それだけ重い課題だったのです。承認というキーワードによって社会を見直してみると、そこから見えてくる民主主義や人権にとっての不十分さは、本書にその一部を述べたような深刻な問題を含んでいることに気付かされます。

「はじめに」の中で述べましたが、社会人である人間は自分一人では自分を知ることができないので、他者という鏡に自分を映し、他者からの反応で、自分を知ります。他者から承認されることで自己肯定感を持ち、アイデンティティを確立し、他者とのやり取りの中で自分も成長していきます。

その人間の生存にとって、あってはならない貧困は所得の再分配なしには解決できません。そのことはすでに周知のことです。資本主義社会が生み出す貧困は自己責任だけでは解決しませんから、所得の再分配はその意味で不可欠、最重要な政策です。しかし、所得の再分配だけではなお解決できないものがあります。それは、社会的動物である人間が社会に参加できず(見かけは社会参加しようとしないようにみえる)、事実上、社会から排除されていることが、貧困と同じように、人間にとってあってはならないことなのです(たとえば、いじめもその一つです)。民主主義は人びとの社会参加を前提として成り立っているのに、それが果たされていない民主主義とは何だろうか。日本でも社会参加したい人としたくない人が分かれていて、それを問題にもせず、議論が尽くされていないまま済ませてしまっていていいのだろうか。

個人の尊厳から出発しているはずの民主主義が、社会参加の機会を与えず、他者から承認されず、相互承認のない競争社会でもまれている結果は、自己肯定感さえ持てず、アイデンティティの確立、自己実現を諦め、社会参加の意欲も失ってしまう人を生み出しているのではないだろうか。それが民主主義の土台を自己侵食しているのではないだろうか。社会的動物にとって社会参加なしに生きていくことは、魚が泳いでいる水の中の酸素を奪うような生き方を強制することなので、結局は、民主主義社会を衰弱させていく一方になっているのではないだろうか。時代によって形こそ違え、人間にとって大事なのは個人を取り巻く関係性なのに、人権の概念はその関係性を軽視しているのではないだろうか。封建的な共同体ではなく、民主主義には民主主義社会にふさわしい人間相互の関係性というものがあるはず。その関係性を、自立や自己決定権や自己責任という立派な言葉で解決できるとしてしまっているのが私たちの社会なのだと思います。

その結果として、あちこちにほころびをつくり出し、「承認を求めて果たせなかった末の犯罪」や、引きこもりや、自死を生み出しているのではないだろうか。お金はいらない、仲間が欲しい、という若者の悲鳴を軽く考えてはいないだろうか。民主主義の限界という前に、民主主義に新しい命を吹き込む関係性の再構築という道があるのではないか——。承認という概念に私が引き込まれたのは、そういう数々の疑問を感じたからでした。

私は学生時代に人権という概念に、ある種の分かりにくさを感じて、法律を専門とする教師に、そのことを幼稚な言葉で質問したことがありました。人権というとき、それは独立した個々バラバラな個人の自由としてイメージされ、そのバラバラな個人が民主主義の制度に直結しているようなシステムになっているけれども、事実上の個人はいろいろな関係性の中にいて、関係性を持たない個人なんていない。それなのに個人の尊厳という場合にも、裸の個人が自己申告制によって人権を与えられているような現実のイメージには無理があるのではないか。よき関係性は個人を民主主義につなぐ橋わたしの役割をしているのではないか、というような質問をしたのですが、素人的すぎると思われたのか、お答えをいただけませんでした。

本書で取り上げたフレイザーの二元論はそこをついています。所得の再分配だけでは、民主主義はまだ成立していないのだと——。

そのことに気が付くと安倍元首相に相互承認のない「一方的な承認」という反民主性を指摘するだけでは足りないものを感じます。承認を求める切実な人間的欲求を悪用して、部下に忖度させ、部下が勝手にしたことにして証拠を残さずに、私益を得る、その手口が政治権力をほしいままにする側に蔓延しているのではないか。それを如実に示したのが、公文書の改竄・廃棄を命じられた赤木俊夫さんの自死でした。

民主主義のレベルを知るには、その尺度として相互承認が行なわれているか否かを問う独自の視点が必要です。

もう一つ問題なのは、承認という思想の反対側に、競争社会の排除と自己責任という思想が通底して存在していることです。自己責任は因果応報といわれるように、自分でしたことは自分で責任をもって始末しなさい、ということです。自己の中に原因も結果もが閉じ込められている閉じた社会ですが、承認の本質は相互承認にあり、相互承認はそこで終わらない社会参加の出発点となり、それが連帯して社会をより良く変えていく(あるいは人権を圧殺する権力に抵抗する)民主主義の力になります。承認は希望をつくり出すひらかれた展望をも持っています。相互承認の感情は、産まれた嬰児と親の間にも自然にあった感情で、多くの人が経験する自然な行為でした。ホッブズやマキャベリのいう、人間の利己心を認めながらも、そのもっと根底に相互承認という人間の潜在能力があることを、理論だけでなく実践の中からも認めているのが承認の思想です。相互承認は社会参加につながり、社会参加は人権および民主主義につながっていますが、その道筋は人格の成就としてのアイデンティティの確立や自己実現という道筋と無理なく重なり合っています。

承認とは、本書の中でくり返し述べているように、認めるという行為を行なうときに、それが真実であるか、正義や公正にかなっているか、人権などの普遍的価値を侵害していないか、妥当性を持っているか、という価値観に照らし合わせて承認するという行為なのです。しかし、政府の行なう承認は、公的義務をなるべく最小限にして、国民が自分たちで助け合え、ということになりかねません。

小泉純一郎政権は、さらに社会保障の削減にもその言葉を使い、貧困に陥った人への自己責任という歪んだ承認基準が、社会で正当性を持つようになりました。

競争社会で勝ち組に入りたいためか、バラバラにされた個人社会で孤独に耐えられないためか、自己責任を厳しく問われる結果のためか、承認を求める心情が強まり、しかもその承認欲求が求めて得られないための悲劇が次々に起こっているのではないかと思います。

本書で私が提起した危機感は多くの人に共有されているのではないかと、日ごろの経験から感じています。本書のサブタイトル「新・人権宣言」は、承認への意識が人権の内実を豊かにし、そのことによって民主主義に新しい命が吹きこまれることを願う私の気持ちが込められています。

いつの時代にも、どこでも、どんな小さな集まりでも、それぞれの人が新しい「人権宣言」をしていかなくては、司法も政治も行政も、権力の思うままに人権や民主主義を歪め、侵食していく状態を止めることはできません。本書では「承認」というキーワードで、その事実を足元から照らしてみました。承認への意識が社会を変え、希望への道をひらくことを期待しながら……。

二〇二四年二月

暉峻淑子

暉峻淑子
1928年生まれ．経済学者．

日本女子大学文学部卒業．

法政大学大学院社会科学研究科経済学専攻博士課程修了．

経済学博士．

日本女子大学教授，ベルリン自由大学，ウィーン大学の客員教授などを経て，埼玉大学名誉教授．

NGO／NPO法人国際市民ネットワーク代表．「対話的研究会」主宰．

著書―『豊かさとは何か』『豊かさの条件』『社会人の生き方』『対話する社会へ』(以上，岩波新書)，『ほんとうの豊かさとは―生活者の社会へ』『格差社会をこえて』(以上，岩波ブックレット)，『サンタクロースってほんとにいるの？』(福音館書店)，『ゆとりの経済』(東洋経済新報社)，『豊かさへ　もうひとつの道』(かもがわ出版)，*Nippons Neue Frauen* (日本の新しい女性)(共著，Rowohlt Verlage) ほか．

承認をひらく―新・人権宣言

2024年4月 4日　第1刷発行
2024年7月25日　第3刷発行

著　者　暉峻《てるおか》淑《いつ》子《こ》

発行者　坂本政謙

発行所　株式会社 岩波書店
〒101-8002 東京都千代田区一ツ橋2-5-5
電話案内 03-5210-4000
https://www.iwanami.co.jp/

印刷・三陽社　カバー・半七印刷　製本・牧製本

ISBN 978-4-00-061636-2　　Printed in Japan